打開天窗 敢説亮話

INSPIRATION

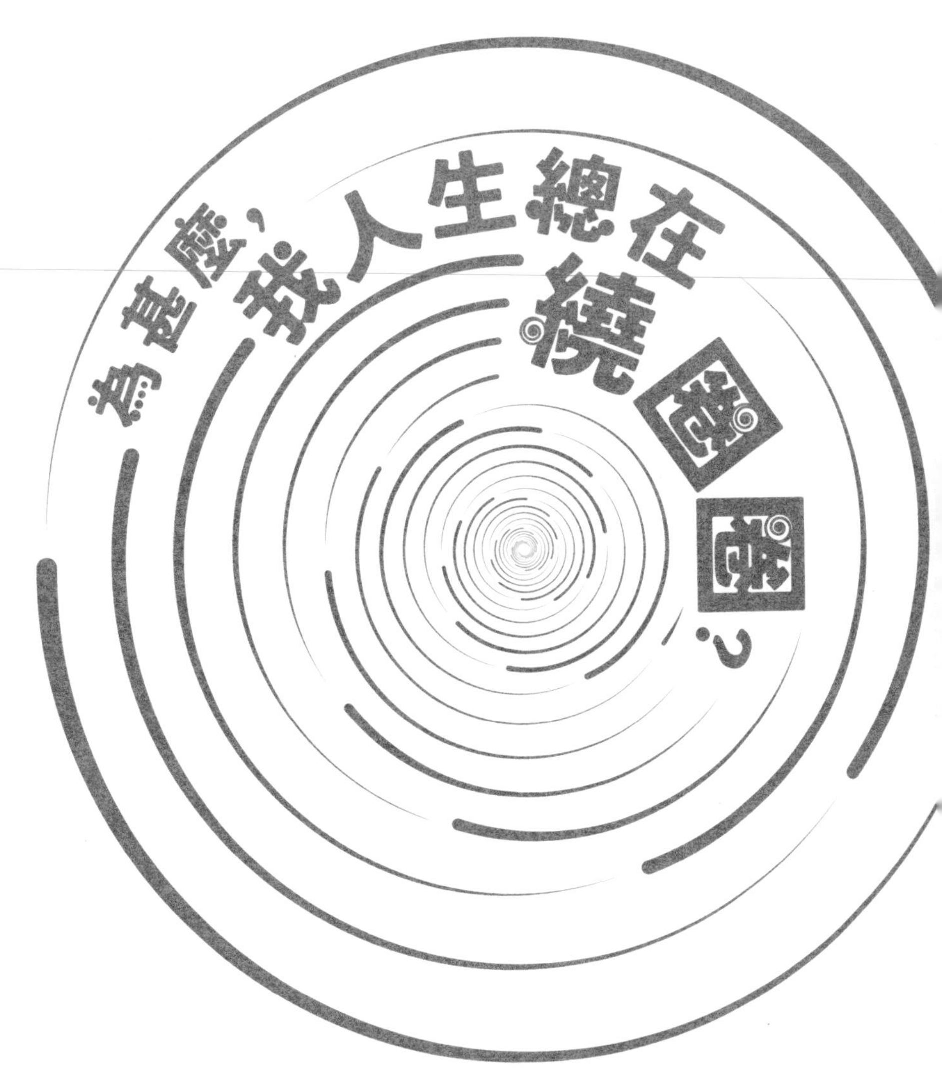

吳崇欣 Beatrice 著

目錄

第二圈　我不關心，也不想和自己相處

第三圈　我好努力，但都無用……

第四圈　我困住了自己

第五圈　你也應該被困

第六圈　三步繞出圈圈　走向自療

推薦序

學到的比想像多得多

李誠教授

香港中文大學榮休教授（精神科）

這是一本難能可貴的書，它從一位極具洞察力的臨床心理學家的生活，以及臨床經驗中提煉出來，完美地結合了當前的社會背景、個人認知、複雜的身體情感互動，還有如何過上更好生活的實用技巧。案例研究內容豐富、說明性強、易於掌握。

透過閱讀它，我學到的東西比我想像的要多得多。

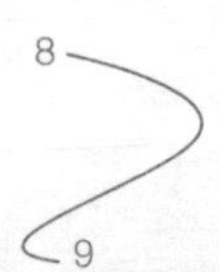

推薦序

展現我們改變、自療的能力

劉曦博士

澳洲註冊臨床心理學家、

國際基模治療協會（ISST）認證資深基模治療師督導及導師

Beatrice Ng emerges as a captivating speaker adept at bridging Western mental health frameworks and research with Eastern philosophy and culture. Within this book, she offers an indispensable guide to navigating our evolving world, urging readers to engage with themselves through curiosity and generosity. Ng's work radiates inherent optimism, showcasing humanity's natural ability to change and adapt. Through practical tools, the book guides the reader on a journey of self-discovery, ultimately aiming for internal freedom—an invaluable addition to the landscape of mental health literature!

Beatrice是一位迷人的演講家，擅長把西方心理治療框架和東方哲學文化融合起來。書中，她為讀者提供了不可多得的人生指南，敦促讀者透過好奇心與自己互動。作品散發著與生俱來的樂觀精神，展現了人類改變及自療的能力，透過實用的工具，引導讀者踏上自我發現之旅，最終實現內在的自由——這是心理健康領域裡寶貴的資源。

推薦序

深入自己 管理擔憂

雷永昌醫生

精神科專科醫生

應付壓力的能力對保持情緒健康很重要。這本書，透過治療故事描繪了：為甚麼曾經有效應付壓力的機制，會變得失效，同時能夠令讀者明白了解自己的重要性。除了它能夠幫助我們更深入地了解自己之外，在最後更分享了一些管理擔憂的方法，十分有實用價值。

推薦序

同在受苦，對己對人也多點理解

劉澤俊博士
高級臨床心理學家

這是一本難能可貴、讓人內心更自由的書籍。

我為Beatrice感恩，因為她可以綜合很多臨床經驗和研究，真實地將很多她服務個案的感受、經歷分享出來。在書中，我們看見不同的人，在不同的範疇繞圈圈。這些圈圈好像一個一個的囚牢，綑綁著不同的生命。感恩作者可以用細膩的筆跡，自然流暢，同時敏鋭地覺察人心裡的需要。點點滴滴，和一群正在受苦的人同行。慢慢了解他們在繞的圈圈，以及如何經歷裡面的掙扎。尊重、陪伴和肯定，這是一段合乎人性、了解人性和尊重人性的歷程。

我也為Beatrice感恩，因為她可以糅合心理學的重要元素，包括情緒的多面性與功能，以及思考的困局，還有人可以怎樣在行為和關係上，被牢固地窒礙在一些盲點和矛盾中。

作者以清晰的心理學基礎，幫助案主以及讀者，明白原來人生很多難過的地方，都可以更清晰地了解、關懷和治療。在不同的心理治療經驗裡面，我們看見很多寶貴的臨床經驗和智慧：包括怎樣去接納尊重受創傷的人，肯定他們不同成長經歷的難處。還有一些常見的憂慮、不安、人際關係的矛盾，都可讓我們學習到該如何定位，找到自己合適的安心之處。這本書就像一封信，作者用心地寫給各位，分享人世間的點滴。

這也是一個富經驗、具心志的臨床心理學家，在幫助來自世界各地有需要的人成長的心路歷程中，展示著原來可以如此溫柔體貼、專業而科學。最終這本書讓我們看見，人如何有機會從心理的困擾中找到自由的路，跟隨自己的信念及價值，好好活一個有意義的人生。

我衷心恭賀Beatrice完成了《為甚麼，我人生總在繞圈圈?》，為很多在人生困擾中的朋友，獻上一份支持和關懷。可能在夜闌人靜，當您閱讀這本書，仍在繞圈子之時，能在當中看見一絲的出路、盼望和安慰。最終在不同的圈圈裡，我們能體會到：我們都受著不同的苦，沒法逃避，在受苦當中我們可以有多點理解：有時會原地踏步，有時需要耐心等待，有時能超越這些圈圈的限制，走更自由的人生路。

我為Beatrice感到鼓舞，並心願所有閱讀這本書的人，都可以更明白自己，並從圈圈裡成長，過更美好、更豐盛的人生。

書中的治療故事，均為不同個案的故事綜合寫成，作者獲相關個案同意，使用及改編其部分故事，其中背景、名字均為虛構。

自序

囚牢裡有自由
名為「善待自己」

「我憑甚麼去要求自己該比他人過得更順遂啊？」有個案曾經這樣跟我說。他大愛、非常有同理心，同時患有重度抑鬱。

作為臨床心理學家，我的專業就是去不斷聆聽他人的故事，然後，找出最好的方法去協助他，成為更好的，或少受一點苦的自己。

而很多時候，個案來自五湖四海，他們面對大環境的限制：父母重男輕女、家庭觀念守舊，而他們的靈魂渴求自由自主、性別轉向和家庭矛盾、患上長期病……甚至在一些國度，家暴和性侵兒童可以廣泛出現。這些大環境的囚牢，我無法為我的個案擺脫它。

我能做的，就是陪伴那顆受苦的心，並且和對方一起去找，在那個不自由的囚牢之中，他的自由是甚麼。

在這個過程中，我發現我們需要有持續的好奇心去了解自己，要有不斷挖掘的功夫，那其實需要不少時間和心機；如果不能忍耐、堅持，我們很難從這個大囚牢之中，找到空間去善待自己。

有時候……

人從來不把愛自己或照顧自己成為心中考量，而只是無意識地重複自己的境遇（見第二圈）；

也有時候……

有些人一直很努力地生活，但其實不明白自己，只是很努力地重複過去，或作很多無用的努力（見第三圈）；

甚至……

他會不小心地製造了自己的囚牢而不自知（見第四圈）；

不難想像……

人會一面投訴，一面又很喜歡自己的囚牢，還會推介別人享用（見第五圈）。

同時，想真正地照顧自己，不一定得到身邊人的理解或支持。人生是複雜的，很難向另一個人解釋清楚自己的人生軌跡，結果可能會被好心人勸告，自己也不知道如何取捨；也有時候，關係之中有利害衝突，例如有些人自我犧牲慣了，當他學習建立界限、為自己站起來、提出自己的需求時，家人很可能會批評他。

而**我的角色，就是盡量當最中立的鏡，以個案的福祉為依歸，盡力去反饋最真實的事。**

我不敢說我做得很好，但是我盡力了。因為很用心，有些個案都成為了我的一部分、甚至有份改變了一部分的我。

細意索尋，發覺內心最想做的，是鼓勵人努力不懈地去愛。就像有些人會努力不懈地創作、建立事業王國、累積財富，我想鼓勵人以最大的努力去學習愛。

——即使身處各種限制之中。

時光荏苒、星宿之下、宇宙之中，人的一生非常短促無常。舉目細看，人世間的苦難比比皆是，我們憑甚麼去要求自己該比他人過更順遂？唯一我們每個人都能學習的，就是好好去尋找並守護那個屬於自己的小小自由天地，然後學習去愛和被愛。

第一圈

你有沒有在繞圈圈？

1.1
繞圈圈
讓我們忘了照顧自己

對自己了解太少，
難以覺察自己無意識的選擇，
也不知所受的苦，
可能是自製的輪迴。

「喂！」

你從手機抬起下巴。偶遇的一個朋友，他問你：

「嗯最近怎麼樣？」

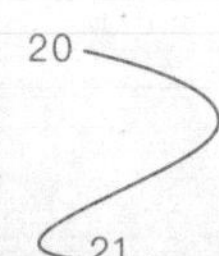

想像一下，你會怎樣回答？

通常答案圍繞著最近忙的事情、最新的玩意，或近來花掉你大部分時間的煩惱。大概，我們很少會從「我最近感覺如何？有沒有把自己照顧好？」這個角度去思考。

事實上，很多人壓根兒不會去反思這問題，直至身體出現狀況，才突然想起——好久沒睡夠了、吃太多垃圾食物了，或者好久沒滋養身邊的關係，或者沒有時間好好和家人朋友放鬆談天。

別人問的是：「你好嗎？」

我們的答案更多時候是：「我最近在做甚麼。」

我們很少去關心他人的心靈，例如詢問對方「你活得快樂嗎？」、「你最近有覺得滿足和感動的時刻嗎？」有些人覺得談「我最近把自己照顧成怎樣」太cheesy，會嗤之以鼻，覺得這是弱者才去想的事，那是一些人生遇上困境的人才需要的自助書。**我們對自己過成怎樣**，也不一定很好奇，少會問「我是誰？」——這個問題是哲學性的，與我無關。

這現象其實很有趣：你如果不了解你的寵物，你也不會知道怎樣照顧牠，更何況你自己呢？

你以甚麼定義自己？

我邀請你問問自己：

你對自己好奇嗎？

你會花時間去反思自己的成長道路，一路走來如何變化的嗎？

你如何定義「我」？

你以職業定義你自己嗎？你是否有很強烈的事業心，對自己的工作或專業很有熱誠、引以為傲？

你以成就來定義自己嗎？你心裡是否有一張成績表，上面記錄自己拿了幾個獎項、證書，或者幾個A，或是幫公司賺了多少錢……你都心中有數？

還是定義你的，是宗教？你會不會害怕已緊緊遵從教會或《聖經》指導來過活，還是一不小心做了「神不喜悅」的事？

你傾向以關係來定義自己嗎？例如說，你會不惜一切，當個「好」媽媽；你覺得令上司喜歡自己很重要；你很怕沒法令女朋友開心，因為一旦她不開心了，我就是不夠好的。

你也許是以上的全部，或以其他的方面去定義自己——譬如你某些重複的人生軌跡——我邀請你思考這個方向。

S總是搭上有婦之夫，已經是第三個了。

S要好的朋友都在疏遠她，覺得她沒救了，每次S的男朋友沒時間陪她，她就會買醉、四出找人去唱K，每次都是朋友為她「埋單」，送爛醉的她回家。同齡的朋友在修心養性、生兒育女，獨剩S「吊兒郎當」。

S不知道為甚麼這樣，只知道看上她的人都是結了婚的男人，而且比她大上至少十年。

「我就是喜歡成熟的男人，這有甚麼不對？」S同時怨恨男人都是不可信的。

無意識的選擇　自製的輪迴

回顧S的成長，她都在母愛下成長，唯獨父親缺席，他的「第二頭家」是S的媽媽。S媽媽漂亮又溫柔，學識不高，不太知道怎樣教養S。S在眾多工人、教練、司機等「員工」的簇擁下長大，他們能夠在某些方面照顧S，卻擔當不了一些父母、監護人才能做的角色，例如教她保護自己、建立健康的界限、給出實際的讚美、指出優點強項等等。「員工」都是請來工作的，再豐厚的薪金，都買不了愛。

S想繼續擔任任性的小女生，繼續在被安排好的日程之中生活，不必為自己的人生掌舵，因為那對她來說太難了，她自覺做不到，S就是喜歡成熟的男人。

結果，她三十多歲時和第三個有婦之夫分手，患上抑鬱，來到我的診所。

總是愛上對自己很壞的人、總是離不開操控自己的伴侶、一把年紀還在投訴媽媽——你身邊有這樣的朋友嗎？你自己是嗎？

當我們對自己了解太少，就很難覺察自己這些無意識的、自動的選擇，遑論看見自己所受的苦，可能是一個自己有份製造的輪迴。

了解自己，包括我和自己的關係，是好好照顧自己的第一步，而這一步殊不簡單。如果我們和自己的關係是：

一、和諧的，當壓力到來時，我們會對自己有適度的體諒、了解、並會尋找自我安慰去過渡，

二、矛盾、又愛又恨的，壓力冒起時，我們可能會一時一樣，並盡力逃避，因為矛盾的內在關係不穩定，讓我們沒法知道怎樣最好地應付壓力。

三、負面、憎恨、充滿批判的，面對壓力，我們可能會過度補償去操勞自己，痛恨自己的感受與反應，反使壓力持續。

如何與壓力共存？

我們每個人都必須與壓力共存。壓力本來沒有好壞之分，就看我們從甚麼角度、在甚麼時候、在哪一個人身上，以及那個人如何回應它等等，才能判斷它好與不好。

如果你已當上父母，你就可能感受過：同一件事情在不同孩子身上，產生的作用都不同。有些孩子不需特別施壓，他對自己有非常高的期望，我們應該協助他平衡；另一些，如果你對他沒要求，他會更加慵懶自由，他可能需要父母給予堅定而清晰的界限(Boundaries)去練習自律。

而更重要的一點，是明白**壓力的必然存在**，這意味著每個人都必定有應付壓力的機制(Coping Mechanism)，不論有意識的、還是無意識的。如果對自己不夠好奇心，我們就未必能看清楚這些機制所帶來的效果。

舉例來說，香港有點條件的家庭，養孩子時就會看「起跑線」有沒有比人好。在華人社會，人生每一個過程：讀書考試、工作、有沒有結婚、和誰結的婚生的孩子等，都是一張張成績表。大家亦習慣人家用這些東西來論斷我們。因應這種社會壓力，我們發展出不同的回應方式，有人傾向尋求認可，孜孜不倦地追求成就；有人選擇我行我素，甚少參與這些會被論斷的時刻；也有人反其道而行，做相反的事情去表達自己與別不同。

缺少自我反思　沿用舊機制

如何回應這種社會壓力，就看我們的家庭背景、成長的際遇、天生的性情與傾向……等等交織的作用，做成我們在不同時刻，作出不同的選擇。

很少自我反思，很少回顧走過的路，很少覺察自身的經驗，這些選擇便是不自覺的，以致有時候我們會重複一些無效的機制，重複犯上相同的錯誤，然後對自己心生內疚。例如：

不惜一切當個好媽媽的她，因為慣於尋求認可，明明很累了，但孩子求她多讀兩本書，她就罔顧自己休息的需要，硬著頭皮撐下去。結果卻為一些小事向孩子發火，然後心裡生自己的氣。

一個從小自覺在主流之外，與人群格格不入的男生，在重視一致的團體之中標奇立異。他孤單的時候，也慣性地要突出自己的不妥協特質，最後無法跟人建立連繫，更加孤單。

更嚴重一點的情況：有些人從小被情感忽視，假設他人不會來照顧自己，長大了慣性更強，重複愛上不重視自己的、對自己很冷漠的對象；或是曾被虐待過的人，不知為何重複落入相同的被虐關係。

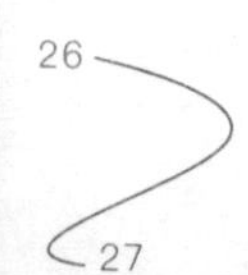

童年的失落 糾纏終生

慣性，也許來自小時候沒被滿足的需要，一些沒有好好覺察的欠缺、貧乏，以致我們如今重複而不自覺地做出一些選擇。有時候，這些選擇反而傷害了我們，加深我們對自己的批評或壞定義。

這些重複的人生軌跡，都在告訴我們：有些東西我們未明白，所以我們無法擺脫這個軌跡。

而且，可能我們不覺得這些東西值得弄明白。我們有很多責任要負、有很多人要照顧、討論「如何照顧自己」很肉麻之餘，比這更有趣的事實在太多……一些人則覺得內疚、覺得這樣做很自私，特別在中國人文化之中，談自我照顧，是與談大眾利益相對立的，因為我們覺得：聚焦照顧自己，就可能麻煩了別人。

◎

澳洲有一個演講家叫歷克(Nick Vujicic)，因為天生沒有四肢，故他的成長本身就是一個充滿困難的奇蹟，他的傳記在世界各地賣到街知巷聞，他的故事的確打動人心，一個身心健全的人看了，也可能立即對自己心懷感恩。當時，我有一名重度抑鬱症的病人K，拿著歷克的書跟我說：「你看，我連這個傷殘人士都不如。他這樣都能好好地活。」

在患上重度抑鬱之前，輕度抑鬱已糾纏K很多年。他自信心一直很低落，心裡習慣跟人比較，然後覺得自己被比下去。「我憑甚麼抑鬱那麼久？我真沒用。」

他的自責，對康復當然沒幫助。後來我才知道，歷克那本書是一個好心的社工介紹他看的。對方一心幫助他，沒想到弄巧成拙。

「反正小時候父母不是打就是罵，從沒有讚賞。我從來都不及人，毫無專長可言。」成長背景加上抑鬱症，K看甚麼「勵志書」都只會被打擊，而不是被啟發。

我從K的言語中，聽出他的「冒名頂替」傾向，即一件事明明做得很不錯，他也會跟自己說「我好彩而已」。相反，如果事情做壞了，他就會全心全意地怪責自己不好，完全不會想到「我不好彩而已」。所以，即使他是游泳健將、又是潛水教練，即使學生感謝他、稱讚他，他就是無法真心真意欣賞自己，為自己感到喜悅，甚麼強項也以「還有人比我更好」輕輕帶過。慢慢地，他從心底覺得自己沒價值。

K生怕別人走得近，因為他想「一旦被看清楚，就會看出自己如何不濟」。總跟人保持距離的話，身邊人也難以給出誠懇的讚賞和看見。

沒有身邊人　沒有回饋

K看不見自己的好，也沒有太多親近的關係能讓他平衡對自己的觀點。這種自我定義種下了很多年，患上抑鬱症當然變本加厲，在心底怒放。

對K來說，照顧自己的第一步是接納自己，而不是學習感恩已有的東西。接納包括接受自己患上抑鬱症這件事，而不是把患病視為污點或缺失。接納不等於喜歡、也不等於放任它，而是清清楚楚地承認這一個自己。

接納了自己的現況後，我們才能談到欣賞。對於很少感到自己值得欣賞的K來說，何謂「真心地欣賞自己」呢？他人生壓根兒沒有這個經驗和概念，我們要製造很多機會去讓他重新體驗到這件事，他才會慢慢內化他人對他的感謝和讚美。

簡單來說，歷克的書還是好看的，感恩還是很重要的，可是不一定是你該看的書。

那麼哪些是我現時該看的書？如果你會問這個問題，而沒有答案，或許你手執這本就是了。

要去明白我們天生的特質、家庭關係與成長歷程間千絲萬縷的關係，是不容易的。這也是我寫這本書的目的，希望為你帶來一點點啟發，對自己多一點點好奇，進而更好地照顧自己。

我們較常聽見是「我很好」、「頂得住」、「無事！」，我們不很想談自己需要甚麼，有時甚至不知道自己需要甚麼。

「想談自己」和「知道自己」所要求的，很多時候，都包含我們對自己有多了解。我們無意識地重複應付壓力的機制，就無意識重複犯相同的錯。我們不了解自己為甚麼無法擺脫一些束縛，就會難以為自己選擇不同的路。

那我們就沒法更好地照顧自己。

而且，當你沒覺察並照顧自己的需要，那些未被照顧好的需要還是會找上我們，用其他方式以獲取滿足。有些人總是在照顧他人，總是把他人的需要放在自己前面。長久之後，他也可能心生怨恨，因為內心期待別人也用相同的力量，並以他想要的方式來照顧自己。一個有「犧牲自己」傾向的人，由於覺得提出要求太自私，叫人照顧自己太難為情，他會演變以各種方式有意無意地操控他人，以滿足他的需要。

「凡事以自己為先」才叫「自私」，其實，自我照顧是最負責任的事。每一個負責任的人都應該思考「我有沒有照顧自己得夠好了？」

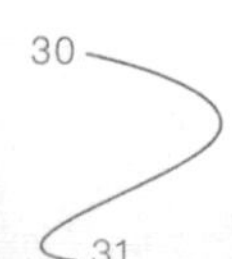

照顧自己 人人要負的責任

為甚麼？**因為當我們照顧自己不夠好，成本都會出在他人身上。**失去耐心的媽媽會失控發孩子脾氣，留在人群邊緣的男生沒法為另一個人提供連繫、緩解寂寞。這些成本有時是明顯的（前者），有時是看不見的（後者）。但總而言之，成本會出現在其他人身上，因為萬事萬物本就互相牽連。

同時，只有你自己才能夠最好地照顧你自己。

因為只有你，才能探索你的人生要怎樣過，這件事沒有人能夠代替你完成。如果你認為自己是必須依賴他人而過活（可能身體限制讓你這樣想），但你還是逃不開照顧自己的責任。好像你現在看這本書，每轉換一個坐姿，都是為了讓自己的身體更舒適。如果你逃開責任，不思考自己的人生、不仔細覺察自己的需要，別人很難為你做得妥貼，因為生活是要你自己去過的。

為了照顧自己而做事情，應該每天都出現在我們的日程上面。自我照顧，是需要向自己承諾（Commitment）的事，不是排在各種責任名利或玩樂之後、有空才做的事。我們應該有一種學習、貫徹的態度去看待它。

人生在不同時候，就會有不同的挑戰和限制。在各種角色、責任、壓力下，心中都不忘照顧一下自己。「照顧自己」是流動的，不變的是對自己的一份好奇。

1.2
不是自私
是你以為自己不值得

你可會覺得，關注自己的需要，
就會蠶食其他人的資源？
那可能是一種心底的無價值或羞恥感。

A是資深社工，第一次跟她面談，我就有一個很深刻的印象，我見的是她，可是我好像了解她先生比了解她還多。

A在志願組織工作接近廿年，是虔誠的基督徒。她樂於助人，工作盡責而用心，深受她的個案案主、同事愛戴；她總是很忙，很多人需要她幫忙：鄰居、舊同學、同鄉親戚。有一段時間她來時，總是累到不堪。

有一類人，如果出現在治療室，往往會不斷地談他們所愛的人：子女、配偶、父母、兄弟姐妹，或者談國家大事，經濟政治……對於談「自己」，他們認為「根本沒甚麼好談」的；情感上，他們會不自在、尷尬。如果要說有甚麼「需要」，他們會直覺自己很自私。

他們會覺得，更有需要的人在外面。要花人家的時間，去關注自己的需要，就好像會蠶食了其他人的資源……說到底就是覺得自己不值得。

「我沒甚麼好談的……」

你試過這樣嗎？你想買禮物送一個人，但不知送甚麼才好，然後你問她，她說「不用啦！」如果你問她需要甚麼，她會跟你換個話題，「你今晚晚飯想吃甚麼？」

這個人是A。我甚為肯定，如果不是婚姻危機，她絕不會花金錢和時間來跟我面談——A的先生出軌了。

我們做伴侶諮商，邀請A的先生一同前來。她先生彬彬有禮，是一個老師，怎樣看也不是花心漢，談到出軌被妻子發現了，他一臉無地自容。不過先生也不用難堪太久，因為A一點都沒責怪他，相反處處為他說話。

「我自己當妻子不夠好，也許工作太忙碌，忽略了他的需要。」

她先生更加無話可說。我莞爾，先生明顯很內疚，且承諾不會再「約炮」(即相約異性發生性關係)。接著，我探討二人的性關係，先生開口：「我很喜歡為她口交，但她不喜歡。」A聽完紅了一臉，又難過又委屈：「我就是無法喜歡！」

不止性方面不協調，對A的先生來說，A好像活在神枱上的觀音：她只關心眾生受苦，要如何出手協助，而她自己根本不需要任何人。A的先生心裡覺得，在這婚姻關係當中，自己不被需要。

我後來比較明白A，也就明白她先生的感受。

「七歲，我就開始負責為全家天天做飯。我還記得，那時候我要站在『櫈仔』上面才夠高；那個鑊很重，我根本拿不起來。」小人兒要當大人，衣服都買褲子和男裝，好讓弟弟接著穿；食物都是牢記父母的口味，那是她愛家人的貼心方式；爸爸大聲喝斥媽媽，她還會去保護媽媽，跟爸爸頂嘴。

無懈可擊的好人 也有危機

她習慣體察他人的需要，練就盡量隱藏自己的功夫，與父母的關係如是、和弟弟的關係如是，甚至跟她的親密伴侶關係也如是。**所有關係都圍著對方轉**，A的快樂就是來自於能夠令對方快樂。

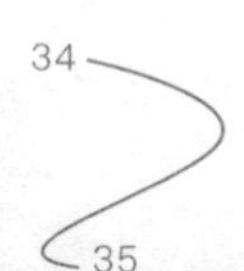

先生覺得妻子是無懈可擊的好人，可是，他覺得自己可有可無：

「我問她生日想要甚麼禮物，她會說她甚麼都無所謂，甚至叫我不用送了；我買花送她，她也只是開心一會兒。」A否認先生不重要，於是我邀請A直接說出自己的需要，她流了眼淚：

「我需要覺得安全，我需要感受到你不會離開我！」

A感受不到一個事實：也許另一個人也和她一樣，需要感受自己能令對方快樂。

◎

「如果接受先生口交，也會讓他感到快樂呢？」我問A。

A含著眼淚搖頭：「我就是辦不到，覺得太委屈他了。」那是一種心底的羞恥感，讓A覺得自己不值得這樣得到一個男性的服務，特別是她不能親眼看見對方也很享受時，她會覺得自己很自私。

A起初不明白，她沒接受禮物，等同於拒絕讓先生感到作為照顧者或供給者的喜悅。她太著重付出，經常把自己累壞，反而沒有把最好狀態留給她親近的人。

這些人會有危機，就是因為沒法言傳自己的需要，而過分期待他人懂「讀心術」。當身邊人沒體察他沒說出口的需要時，他就會失望、難過、生氣，責怪對方不體諒自己，可能由冷戰、給面色等開始，慢慢進至吵鬧、大發脾氣。**當他們終於耐不住，把怒氣誤投在某時某刻的處境中，被罵的人可能誤會他喜怒無常、反應過度(overreact)。**

接受，也是付出

別以為這種「我不說，你要懂」是野蠻女友的典型，男士也可以是這樣的！差別在於男士更傾向於否認，譬如說被安慰的需要。如果他們和自己的脆弱感關係太壞或太遙遠，要他們承認自己需要被安慰，幾乎絕不可能，甚至也沒覺察自己否認了這些需要。但是，沒得到需要的安慰仍令人憤怒或沮喪，他們便以一種「曉以大義」的模式，來跟身邊人說教，又或是乾脆找碴、大發雷霆，以發洩不被重視的憤恨——其實都在委婉地表達自己的需要。

如果你私底下也覺得不好意思說自己需要甚麼，這本小書正是為你而寫。你也許需要有充足的理據，才能說服你為何要花點時間，了解怎樣更好地照顧自己。

我們照顧好自己，也是在照顧別人，特別是對身邊親密的人尤甚。當父母的，如果照顧自己不夠好，就可能不夠耐心來教養子女。婚姻也不是請工人，不是一味地看誰為誰服務，如果自我犧牲得太多而失去了自己，對方也無從與你聯繫。

A慢慢意識到，自己持續且過分地關注他人，是為了保護自己，免受內心的不安全感所困擾。她以為，「被照顧」等如負累了對方，她害怕因而失去對方……

經過反覆的練習，A之後比較能夠言傳自己的感受和需要，並視這為跟對方連繫的方式。施與受相承，接受有時也是一種付出。（他們找到了雙方都覺得滿意的方法，去重新探索性關係，這裡就不贅了）

1.3 試試接納自己吧！

照顧自己的熱身運動，就是接納自己。
接納，也是作出改變的前設，其中重要意念就是：
「不必強迫自己喜歡或認同，如其所是的接納就好」。

剛參加為期一年的靜觀導師培訓的時候，**我在想，我必須變成更好的人，這就是我的目標。**

我對自己向來要求很高，曾經挺著七個月的大肚子飛台灣，去頗嚴謹的十天禪修(Vipassana)，也不說薄薄的床鋪、坐禪的水腫與山上的炎夏了，也許不慣吃素，所以我經常餓肚子。結果過了兩天，因為擔心肚裡的孩子，忍不住告訴老師，老師就特別容讓我吃零食。更重要的是，那段時間我對自己充滿批判：Vipassana的十天，有七天基本就是不斷坐著、做非常仔細的身體掃描(Body Scan)練習；想法來了又去了，甚麼奇怪無聊的想法都有過。環境、身體愈長時間的安靜，專注時、禪修時，各種情緒紛至沓來，有時伴隨思想，有時是純粹的傷心、喜悅、痛恨、失望、懷念……幾乎說得出的情緒，都自動在身體波動，往往修習過後回過神來，才知道甚麼情緒來過。

從靜觀百感　到「人生最痛」

當我決定聽從老師的邀請，一動不動坐禪兩小時，我經歷了人生最「痛」的兩小時。挺著大肚子，我全身都在痛。完成時，我用了十分鐘慢慢伸展各個疼痛的關節，才能從椅子站起。

我問老師，要怎樣處理身體的痛？老師第一個反應是：「那你就動一下嘛，讓小孩都輕鬆一點。」(我笑笑但窮追不捨，追問老師應對痛楚的禪修練習，這間接讓我後來生孩子不用任何止痛，也沒哼過一聲。再後來，我發現大腿後方有兩道藍色的痕，醫生說應該是靜脈有損。我才想，可能與這段「人生最痛」有關。)

說這些是要指出，我對自己曾經是多麼的要求高又充滿批判。

可是我並沒有覺察到，自己對自己的超高標準。

十天禪修營回來兩個月，我當了兩個小孩的母親，只覺任重道遠，就辭了臨床心理學家的正職，再念為期一年的靜觀導師培訓，因為自覺要變成更好的人，才能當個好媽媽。一年的最後一課時，我才發現，我一開始時來學習的動機是「我要變得更好」，而回顧所學時，「變得更好」並不在我心頭，我修習靜觀的動機(intention)變成「愛和被愛」，真正的改變是更加接納自己。

在培養不加批判的覺察過程中，我照看自己更多。不是說我覺得可以停止學習，而是對「更好」有更廣闊的定義。接下來的日子，我做了人生從沒想過做的事。

修習靜觀，你更容易放下當下批判，那個時刻的判斷，到底只是那個時刻的，而且很多時根本沒必要下判斷。更中立地覺察(自己和身邊的人)，所得的可能更多、更立體、更多可能性。

學習如其所是地看見

我試試走不同的路——放下我引以為榮的「臨床心理學家」身分，去當全職媽媽。那對我來說其實很不容易，因為我工作了十年以上，轉過多份工作，才回頭去讀心理學學位和臨床心理學碩士，一把年紀才成為臨床心理學家的啊！

接納自己，不等同於安於現狀，或美化缺點，而是學習如其所是地看見。讓我們由接納自己的情緒說起。

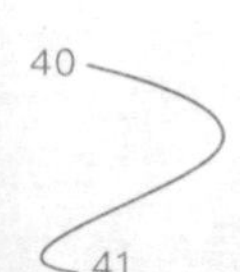

◎

如果心裡假設：我們必須感覺正面，必須時常快樂，必須喜歡一些甚麼，我們就會受苦，同時很容易否認(denial)一部分的自己。因為人生就是有喜樂也有痛苦的，如果你不知道何謂滿足感，你怎會知道自己喜歡做某件事情？如果你不感到孤單，又怎會知道何時需要與人連繫？

抗拒負面情緒　否定一部分的自己

如果我們極為抗拒強烈的、負面的情緒，一有負面感受就急著要改變它，我們就很難深入明白自己；有些人甚至會習慣逃避所有的難過感受，因而否定了部分自己的需要。那就讓我們離自己更遠。

所有的情緒都是有價值的。

但在我們的文化中，憤怒是不被鼓勵的。我們仰慕不易動怒的人、「以和為貴」、「佛系」。你應該聽過有人大聲地說「我無嬲！」，對吧？我們害怕被批判，所以否認自己的情緒。如果可以拿走我們對情緒的批判呢？如果我們不把情緒分為好與不好呢？那又會怎樣？

我記得學自衛術時，導師不只教身體反應，也會教練習時要叫出聲，那刻我覺得「這太對了！」如果突然被襲擊，人或許未及反應去呼叫，而且我們可能習慣壓抑情緒而沒法即時感到憤怒，就不夠能量、也不會自動地反擊和大聲求救。這說明：我們和自己情緒的距離，有時比我們的預計的更多。

好好覺察，必須不加批判，那裡面就有很多的接納。「我就是無法喜歡自己厭惡／憤怒啊！」有些人混淆了接納等同於「喜歡」。

接納，只不過是好好認清自己的情緒，有足夠的心理空間跟自己輕輕說一聲「現在有憤怒在這兒」，好好接住自己的感受（也不同於容許自己破口大罵或摔東西），才能有意識地選擇如何回應這一份感受，如何回應令我們產生此情緒的自己或對方。

在靜觀課感受最深的，是情緒的來來去去。單純地覺察它，並讓它自來自去，這過程培養出對自己的慈愛和包容。我們的內在有了空間，自然看到更多選擇，不管是對自己內在的，還是對這個世界的。

我很喜歡的靜觀老師Pema Chodron，她有次在禪修營中回應提問，一個女生說她跟媽媽的關係很壞，因為媽媽小時候虐待過她，她至今還在受苦。Pema深深地看著這女生說：

「有時我們覺得事情是凍結（Freeze）的，但其實所有東西都在流動，包括你和你媽媽的關係。你繼續仔細看，就會看見這關係是流動的。」

那刻我確實地感受到，不加批判的覺察讓我們看見的，是我們與萬物的關係，而接納不等於認同。

萬物流動　不必以某時刻批判自己

所有東西每刻在變，靜觀讓我們無論在甚麼經驗面前，都有一個位置去與這經驗同在。因為「在觀察著憤怒那一部分的我，並不憤怒；在觀察著痛苦那一部分的我，也不痛苦」。**而放下不等同於抹走**，放下是任由它自然存在，帶著溫柔與慈悲的心去看見，即使那是一段令人痛苦的關係，也會自然流動。

變化既是自由的，同時讓人害怕。每當想到，沒有東西是不變的(Impermanence)，所有東西都有完結的一天，難免會為「失去」悲傷。

我在學習擁抱這份自由和悲傷。當所有東西都在不斷變化，便不必以某一個時刻做為判斷所有的依據。如果讚譽、批評、榮枯，都可能只是對當下內心自我（Ego）有一時三刻的作用；同時時間巨輪從不止息，那片刻的意義又該如何解讀？

我很喜歡丹麥物理學家Niels Bohr這句話：

The opposite of a correct statement is a false statement. But the opposite of a profound truth may well be another profound truth.

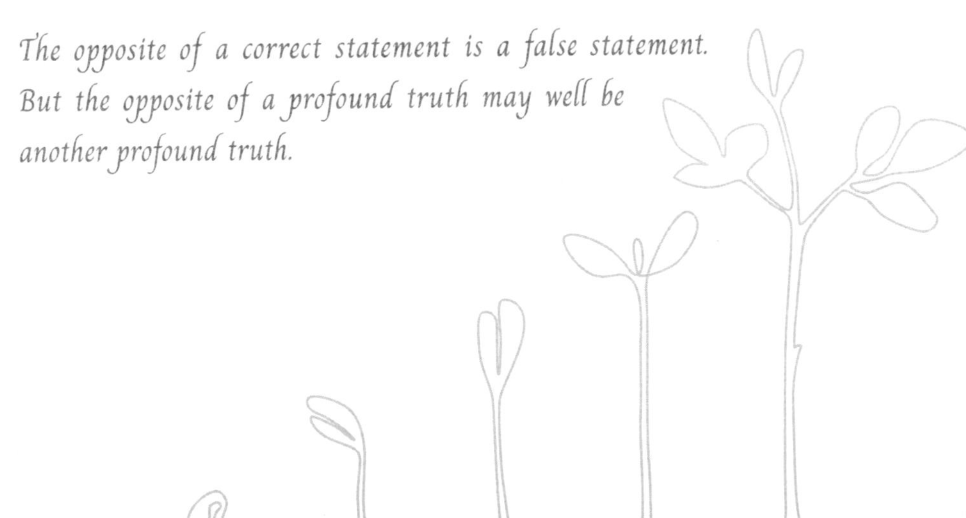

從此我經常提醒完美主義的那部分自己：「是的，這方面我可以學習做得更好，同時我也是夠好的。」(*You can improve but you are also good enough.*)

我們活著，還是需要做一些決定，需要做當時當刻最好的判斷，但如果充分理解我們追求的是甚麼，而不是單純追隨他人對我們的期待，並看清楚我們心裡的假設，那裡面的力量是巨大的，而且令人甘心情願，無怨無悔。

變化同時也是自由。

重要的是，我的心與力量在甚麼地方，那是我選擇投放的。三年又過去了，我繼續修習靜觀，才真正體驗那年在導師培訓中所學到的。

1.4 了解自己 帶著恐懼還是上路

**有了「萬物皆在流動」的概念，
「認識自己」的過程就有不一樣的定義，
因為包括我們自己、我們與萬物的關係，
都在不斷變化。**

俊來求診，因為他的焦慮經常讓他上廁所和失眠。

他是精神科護士，知道那是心理因素。

中國人說「三歲定八十」，指人的性情(Temperament)多屬天生，但這只是部分的真實。我們是不斷轉化的，如果對自己有足夠的好奇心，我們就會不斷認識自己在不同時刻的需要，為照顧自己打好根基。

治療室中，我不時生起這感受：我比我的病人更想了解他自己。

「我就是這樣的」放棄了解自己

有些人對自己有很固定的想法，覺得「我就是這樣的」:「我的性格很固執」、「我就是沒耐性的人」。當我在他們向我流露的故事中找到一點「不固定」，我就會指出「嗯，這時刻你好像鬆開了，不再固執啊」，或者「對於XX，你倒是很有耐性啊！」

自我應該是豐富和矛盾的，**如果我們愈擁抱自己內在的多元，我們就愈有彈性，心靈就愈強壯。如果沒法好好認識自己，我們就會跌跌撞撞地照顧自己。**當然，人生起跌在所難免，但有了想認識自己的心，總能漸走漸近。我邀請你來看看俊的故事。

俊生活正常，懂得不少放鬆技巧，也挺會平衡壓力，例如運動、社交生活等，但是焦慮引致的身體不適還是重複出現。

「每次我要見陌生人都會很緊張。那次我要跟同事說，我不同意他，我還口吃了。」這種焦慮，足以讓俊避開很多事情：不去新地方、不試新事物、不認識新朋友（不過想有女朋友），三十年人生，非常因循。「小時候上畫班，我最怕老師說自由發揮，因為我根本不知道可以畫甚麼。」

無例可循是可怕的，因為俊不知道怎樣才會「合格」。我和他探討這些壓力的來源，不出兩方面：「我怕別人對我印象不好」、「我怕自己失敗」。

我邀請俊探索這種「怕不合格」的性格是何時建立的。他告訴我，做為家中長子，大事如家長日或成績表，小事如簽回條和接放學，俊都必須負責提醒媽媽處理——他和弟弟兩人份的。俊記憶中，幾乎只有在處理這些「要務」時，才會得到媽媽的關注。

承擔超越年紀的責任

我聽著聽著他的故事，發覺在俊字典裡，是追求「不犯錯」、「不被責備」，而不是「快樂」。

「那麼小的年紀，就要妥貼地跟進自己和弟弟的學業和日常，你是怎樣做到的？」我問。

「所以經常被媽媽責罵啊！因為我忘記幫弟弟檢查功課，他就忘記做了；或是我自己忘記要默書，不合格回來又被罵……」

「我好奇，當哥哥的感受是怎樣的……」

我讓他坐在一張白色的有背椅子上，對著前面的空櫈，想像自己跟媽媽說話，「請你告訴媽媽，當哥哥的感受是怎樣的？」。俊已緊張得說不出話，我請他告訴對面的媽媽，他此刻身體的感覺：「覺得心口被壓著，很想躲起來。」

那是羞恥感，它會讓人想變小，不要被看見。

我請他試把椅子放在另一地方，讓他能唞氣、舒暢點。他把椅子搬到老遠，背著自己，才能開始和媽媽說話，「媽媽，我不要再做哥哥了……」開始哭得像個小孩。

我們重新檢視他的成長經驗，俊感到自己總被看成為一個角色：兒子、哥哥、護士，而不是他自己。他被別人的要求重重包圍，心裡內化各種聽過的責備，讓他經常小心翼翼。即使沒人責備他，他也會因為事情進展不順利而責備自己。「怕錯」的焦慮，好像從不會離開。

他很少感到心裡的感受，因為「做錯」的羞恥感讓他害怕接近自己的感覺，他經常逃離自己，去做討好他人、服務他人的事。「因為別人對我的感謝，就是確認我做得對、我足夠好。」他必須很努力，才能安撫自己的羞恥感，不被淹沒。

「角色」與「責任」淹沒「自我」

當他發現這份長久的負荷，他就開始比較輕盈了。可是，要改變三十年的習慣很困難——無意識地繞了三十年的圈圈，不會像關燈一樣立即關上。**一旦發現自己傾向不斷繞圈子，人之常情就是想「立即」改變它，甚至怪責自己：「為甚麼我還是要重複討好別人？」**

◎

我邀請他，要有好奇心去細看這個繞圈圈是怎樣運作的。

心理治療的一個重要作用就是，讓個案案主感受到他們需要的東西。當他感受到我對他的耐心，對他人生經驗的好奇，希望明白他想得到讚美或感謝的整個過程，他的羞恥感就會慢慢化解。最重要的是，我在治療過程指出他不必討好我——

我給俊的功課他總會做齊，不論懂不懂得做也好，他必定會交我一點東西。他很緊張我的回應，即使我沒有「評價」他的意思，他亦自動把我的「發問」演繹成「那應該寫XX才對是嗎？」

當他的焦慮徵狀開始受控，我開始在面談中指出他想「討好」我，而我清楚讓他知道，那是不必要的。

「我為意到，你有時候很在乎我對你的評價，是嗎？有時候我甚至覺得，你假設我在對你打分數，好像分析你是幾多分的病人一樣。」他立即聳肩，把眼神移向別處，那是我見過他的小動作——當他在椅子練習時感到羞恥的時候。我接著說：

「被人看見，有時令人害怕，我們怕被別人看得一清二楚，會覺得自己不好。」

我再次邀請俊坐上那張白色椅子，對著前面的空椅子，想像那是他自己。我問他：「我想你告訴他，他為甚麼需要做個好病人？」

俊坐下了，聲音突然變得很大，而且堅定：「你不當個好病人，你的治療師就不喜歡你，或者嫌你太麻煩不想見你。」

「所以你擔心的，是他不被接納？」我問俊。他點頭。我請他親口告訴面前的空椅子。

「我是為你著想，否則別人就不理會你。你沒有人愛。」語聲一落，眼淚也流下來。我請他坐到對面的椅子上，用說話表達他的眼淚：「是的，是的，你是對的。」他對著「討好」的椅子說畢，就把手掩著他的臉，好像這能讓他消失。

為甚麼繞圈圈？為了保護自己

我獲得俊的准許後，就對著「討好」的空椅子說：「謝謝你經常為俊著想，並且你真的曾經保護過他。你讓他獲得媽媽的目光注視，那是他唯一能得到媽媽關注的時刻；你為俊提供了控制感和安全感，我對你表示感謝。可是我也必須清楚告訴你，我不需要你來保護俊，因為我要醫治的，正是這邊的他，我必須能夠接觸到他，能夠好好聆聽他的恐懼，我才能讓他知道，他不必恐懼我，因為不論他有沒有完成他的功課、懂不懂得做，都是可以的。」

俊在那面流著淚點頭。這一節之後，他變得很勇敢，會向我表達他心裡真正的想法。之前的他，經常不能直視我的眼睛，很不習慣於羞恥感存在時「被看見」。

大概六個月之後，他轉工了。他決定不再當助人的職業，去了當個咖啡師，享受著他形容的「三十歲人去闖自己的人生也不遲」的路上。那個名為「重複最安全」的圈圈，已被打破。

◎

認識自己是一個歷奇。我視俊在治療中的行動為一場歷險：他在我的身上嘗試了被接納的恐懼、坦然表達自己。然後，新的路與那個未被發掘的自己就慢慢展開。

活著本身就有這種張力：只要我們沒去出家，我們如何入世地活著，同時又安頓好自己的心？這是我們有沒有意識都必須要做的事。

有時候，你必須很勇敢去冒險，才能更認識自己多一點。

1.5
情緒恐懼的源頭

「憤怒、厭惡、焦慮、恐懼的時候，
我統統覺察了，隨即我應該怎樣做？」
我會說：知道之後，不要立即逃離，
跟情緒連繫多一陣子，才可喚醒及探索其源頭。

真正擁抱「情緒本沒好和壞」這句說話，是不容易的，尤其小時候很少被主要照顧者(例如父母、祖父母、工人等負責主要照顧任務的成年人)安撫情緒的成年人，很難很難做得到。

有些人甚至習慣情緒恐懼(Feeling Phobia)：一旦感到他們認定是「負面」的情緒，就會害怕，可能怕自己像小時候一樣無助、被情緒淹沒，或是害怕自己的恐懼(Fear of Fear)。

恐懼令人逃避　心結藏得更深

害怕或恐懼，是令人難以停留與之共存的感受，我們的應付模式往往就是「逃避」，把帶來恐懼的根源推開，或離開某種處境。當恐懼是其他情緒的「偽裝」或表象時，我們就會因為這個逃避機制而沒法轉化，不斷在繞圈圈。

S成長在中產家庭，雙親健在，都是專業人士。

S總是得體成熟，也許因為她也是治療師的緣故，我們都有一個很純熟的、專業的面向。治療室是很熟悉的地方，我問她當個案案主的感覺如何，她笑笑：「真好，我甚麼都不必準備。」

我則有點好奇——她的督導邀請她來跟我面談，做心理治療。她告訴我，有個「邊緣人格障礙」(Borderline Personality Disorder，BPD)的個案令她很困擾，甚至失眠了好幾晚。

「我向來治療BPD沒甚麼難度，這次卻不同，我覺得她在操控我。」

「她怎樣操控你呢？」

「她會表現得很脆弱，讓我努力安慰她；有時，她會突然發火，說我沒有好好聆聽，說我誤解她。」

S明白BPD的個案案主會害怕被拋棄，所以有時以發火來試探包容度和接納度等。S努力包容對方，怎料對方變本加厲。

知道自己被情緒勒索　但逃不開

「她開始要求我看完她長篇的日記再面談，我說我盡量看，但不保證一定可以看完；當我沒時間在下次面談之前看完時，她就臭臉，說些間接攻擊我的說話。」

「好像是甚麼？」

「她會說類似『我都知道要求你看我的日記才見面很難……可是我真的沒法交代得很清晰，如果你看了，我覺得你會比較明白我。如果連你都不明白我，這個世界就沒有人會明白我了……』，或是『我都知道我很麻煩，你也未必想花時間來看我寫的東西……』，你說這是不是很『難頂』？」

「她令你有內疚感嗎？」我問道。

S開始移開目光：「可能是。不過我漸漸覺得，無論我做甚麼，她都覺得我不夠明白她，除非我聽從她的要求，例如一定要看完她的日記才見她！」S的聲音漸大：「你說我該怎樣應對她？」

然後，S把話題轉向「如何當對方的治療師」。

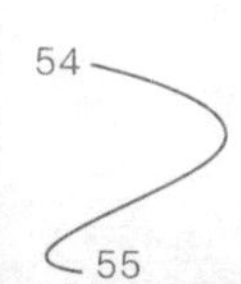

覺察身體感覺 是否熟悉？

我用手示意S暫停說話，邀請她**感受這一刻的身體感覺**，她立即說：「我的喉嚨卡住，心口被壓著，難以呼吸。」熱淚盈眶。

我著她先好好呼吸，不必說話，同時連繫這份「卡住」和「壓住」的身體感覺，一面呼吸，一面把氣息送到喉嚨和心口去，去陪伴這份感覺，純粹陪伴它就好。

過了一會兒，我問她：「那是甚麼感覺？是羞恥感？內疚感？這感覺熟不熟悉？」

S讓眼淚流了下來。

收集到足夠的資料後，我問她有沒有想像過，她的個案案主也許同時有隱性自戀型人格障礙，她點頭。

她本身，也成長於一個有「自戀型人格障礙」的家。那個人就是她的媽媽。

◎

「我去嫲嫲家玩，媽媽可能是妒忌還是甚麼，硬要我立即回家；那時我大概小三的年紀，嫲嫲就住我們對面，她不斷在門口大叫，整層鄰里都聽見了。我覺得很不好意思，但又不想走，就說我已經做完功課了。媽媽說開飯了你還不回來，我只好回去……

「回到家，卻看見她仍未煮飯，我問她，她就用眼神厲著我，叫我等她煮好飯別再出門。我不明白為甚麼但不敢問，因為很怕媽媽大發雷霆……

「然後那晚，媽媽煮了我最厭惡的茄子，逼我吃完一個又一個，我一邊哭一面吃……爸爸就好言相勸，但媽媽不聽。」

這般「你不聽話我就給你好看」，在S的成長歷程重複發生。媽媽把發洩內心憤怒或妒忌而對她作的懲罰，包裝成「我為你好你還不感恩」，逼著小S忍受，忍受不被尊重的心情去服從要求。如果S還是不識趣，媽媽就會開始找機會聲淚俱下，去控訴小S令媽媽好傷心。

孩子粉飾父母不合理的要求

由於爸爸介入無效，以媽媽主導的這個家，小S必須更努力去維持與媽媽的依附關係，**她內在的羞恥感，正好維持媽媽不合理的各種要求。**「都是我的錯」，這樣想的小S會覺得比較安全。媽媽的不合理行為被解釋過去，小S心裡便維持「媽媽是愛我的，都是為我好」的安全感，因為所有小孩都需要這種依附關係的安全感。

相信「都是我沒做好，媽媽才這樣對我」，比起相信「無論我怎樣做，媽媽都會隨她心意隨時懲罰我」，來得有控制感。至少，小S可以努力做好自己，讓媽媽滿意。可是，無論小S怎樣努力做好自己，媽媽的不滿意而導致的復仇行為，還是重複發生。

慢慢，S建立了一個自動模式——一旦被「引發內疚」，並觸及她內心的羞恥感，她就會害怕有壞事發生（媽媽的懲罰）。

S心底早就懷疑媽媽有「隱性自戀型人格障礙」，但從沒求證。隱性自戀型人格障礙人士通常以「受害者」自居（Victimization），來操控家人，語言經常帶有「引發內疚」（Guilt-inducing）的性質。所以當她遇見個案案主用類似方式對待她，她感到束手無策，隨即為未能附合案主的要求而引發羞恥，她很害怕接觸這種羞恥感，她非常恐懼，而這是很熟悉的恐懼。

當她能夠連繫接觸著她的羞恥感而不逃避，不去談別的事情時，我便請她探索這份恐懼，她才說出「去嫲嫲家玩」的回憶。

◎

協助S的道路上，支持她和她的羞恥感連繫是最重要的一步。當她能夠真正地接納，而不是害怕或厭惡自己這一部分，不再立即逃離、每次逃離——她就不必再繞圈圈。

因為這樣，她清楚聆聽了自己「害怕自己不被愛」的恐懼。進一步，有想嘗試探索這種恐懼的空間，而不是自動批判它「幹麼我會這樣害怕？」（暗示害怕是負面的），而是「噢？我剛剛很害怕啊！」（驚喜、發現、帶著好奇心去感覺和了解）**心的這個空間，讓情緒能夠停留一會兒，我們才有更多時間作深入探索，才能獲得足夠的訊息去了解自己的需要。**

學習與人建立健康的界線

有一部分的她需要明白，並相信：「無論我能不能討好媽媽／治療個案，我都是值得被愛的。」她要重新定義如何去愛她的媽媽——既建立健康的界線，不屈從於媽媽的無理要求，也不被她的情緒綁架，而同時能夠表達她對媽媽的愛。

再後來，S向我坦白：在專業的路上，當發現個案總是用弱者的態度來控制她時，她就把個案轉介給另一個心理學家，她跟自己和督導說「我道行未夠，所以處理不來」。

而其實她心裡害怕這類個案，隱隱覺得有點危險，她有想逃離的感覺；如果負責個案一段時間，才慢慢知道對方有這種傾向，她就會受「不斷想滿足對方要求」所苦，甚至會想討好對方（就像小S必須討好媽媽，承認自己「犯錯」媽媽才這樣對自己）。這時，她已經看見自己習慣繞的圈圈了。

這一次，當督導再三邀請她來跟我做諮詢時，她勇敢地答應了，因而為照顧自己踏出一大步。

第二卷

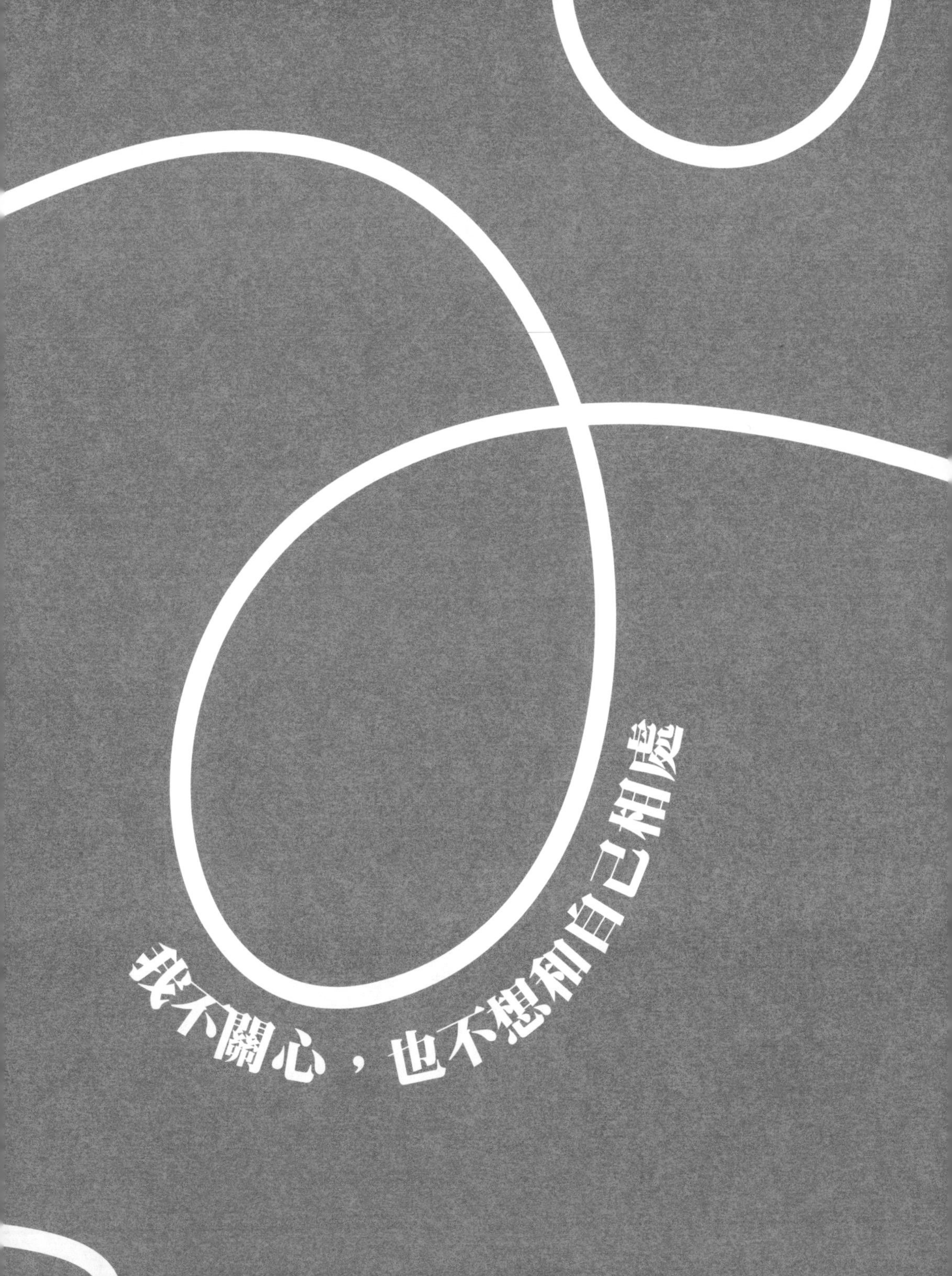
我不關心，也不想和自己相處

2.1 你快樂所以我快樂——繞不出自我犧牲

「只有你快樂，我才能快樂」，
那就是把照顧自己的責任外判到另一人手上。
如果這樣，也許要反思：
我和這個人的界限是不是健康的？

「我要是跟媽媽坦白說，她就會很生氣啊！」P很害怕媽媽生氣，在媽媽面前，她幾乎立即變成小學生，即使她十八歲已念完大學，即使她今天已為人母。

P的**自我**是含糊的，她經常有「不知道自己喜歡甚麼、想怎麼樣」的感覺，因為她很早便犧牲了「成為自己」，去令媽媽快樂。

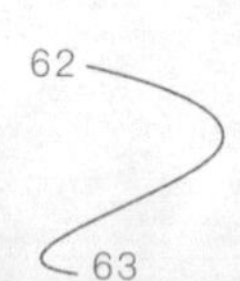

當P愈能夠看見媽媽，也愈看見自己怎樣跟媽媽糾纏。「即使媽媽很兇，我還是感受到她很愛我的。相反爸爸對我愛理不理。我為媽媽嫁了爸爸而難過。我很小便知道我對媽媽很重要，我是她快樂的泉源。」

將「快樂」的責任 完全外判

「你快樂所以我快樂」這句話是動人的，代表「你對我有多重要」，我們的快樂也相連在一起。可是如果這句話之前加上「只有」，變成「只有你快樂，我才能快樂」，就可能很危險。多少父母，因愛之名而造成傷害——各種各樣的。事實上，這句話也是不負責任的。如果「只有你快樂，我才能快樂」，那我就是把照顧自己的責任外判到你手上，變成「你要為我的快樂負責」。如果你發現，你和某人的關係很大程度是這樣的，你也許要反思一下：和這個人的界限是不是健康的。

界限不清，必然會令你對人生的控制感變得很有限，因為，我們沒法確定另一個人的幸福，即使我們如何努力去讓對方快樂。更何況，如果我的快樂很大程度由你的快樂定義，那麼，當你不快樂時，我就深感壓力；如果極力討好你都沒法改變現況，我會開始失去耐性，甚至心生怨恨，「你幹麼還不開心起來？你想我怎樣？」

我有很多飲食失調的患者都有這種情況，糾纏不清的對象通常是母親。因為治療飲食失調，很大程度就是協助患者完整自我(Individualization)。

自我和他人 界限不清

自我，那裡包括我們的價值觀、信念、所重視的事；我們如何看待自己、人際關係、整個世界，以及我們和這些東西的關係。

自我，是我們做決定和取捨時的指標。它是不斷建立的。成長過程中，有很多來自家庭、教育、朋輩關係等給我們的經驗，而自身人生的經驗，也不斷回饋到腦袋，令我們的自我有機會變化和流動。**自我和他人界限不清的意思，就是有些人的自我和他人重疊的部分非常大，大得有時分不清楚，哪些是我想要的，哪些是他想要的。**

舉例說，我們想盡力做好子女的本分，例如孝順父母、和顏悅色對待他們、供養他們、身體力行照顧他們等等。**如果父母的期待與我們能付出的有差異，我們必須有所取捨。與父母界限不清的人，有時很難做到令自己覺得最平衡和舒適的選擇。**

他們可能傾向把別人的需要放先於自己的，漸變自己總在「百般委屈中，被迫做選擇」；有時這些選擇的成本，會高到令他們患上各種情緒病。

對他們來說，人生就是無可奈何的、沒有選擇的。但如何走到這一步，他們自己不一定很清楚。他們也可能是習慣把父母的需要當是自己的需要，於是，「只有你快樂，我才能快樂」早已注定。

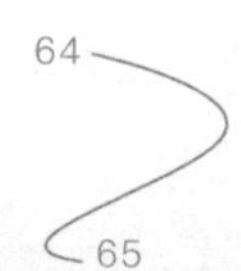

P原本因為創傷後壓力症前來面談，當這個擾人病症治療得七七八八，我們著手處理更根本的問題：她和母親的關係。

P已為人母，有一個女兒，可是，她的生活還是經常被媽媽左右。P自小被媽媽訓練成銅皮鐵骨，日常溝通以呼喝為主，被媽媽打罵更是家常便飯。P幾歲已經自己走路上學，加上是資優生，大學十八歲就念完。

我盡了力　為何你還不滿？

P總不自覺靠近會帶給她差不多經驗的人：她的男朋友都是對她呼呼喝喝，有一個還試過動粗。她原本沒覺得這樣不妥，直至她因其他原因患上創傷後壓力症而來到我面前。

「來見你，實在是一個痛苦的過程啊！」P常這樣說，因為面談她發現過去的自己被操控了，令聰明絕頂的她非常難受。我要不斷解釋：**「被操控不是因為你笨，而是因為你太善良。」**（成長的其中一課，就是看見事情的多樣性，世事許多矛盾都是共存的。）

媽媽的強勢，讓P習慣必須服從母親，因此，媽媽隨意到家坐坐和看孫子，她連表達「請你先打電話告訴我，我可能會在家工作或外出」都不敢，遑論討論各種育兒的差異，「我不想讓女兒看手機，但我媽不斷給她看」。結果先生跟媽媽吵架，讓P夾在中間很困擾。她覺得很大壓力，覺得照顧媽媽變得愈來愈難，甚至心生厭惡。

「我覺得好內疚，同時我覺得她很麻煩，我已盡了力去平衡，為甚麼媽媽還是給我面色？」這種煩惱可以困擾P好幾天，讓她委屈、心情煩燥，但她服從依然。

愛父母　同時可以說「不」

在我們的文化，敬老、尊師重道、孝道等概念根深柢固。「不聽話」是不允許的，「子女聽從父母」是天經地義的事。P從沒有想過，「你可以愛你的父母，同時可以說不」，她有一個強勢的權威型母親，她以為，不聽話等同於不敬和不孝。這些固有概念，令我們難以平衡、建立健康的界限、好好愛自己。

由於P是獨生女，和媽媽很親近，媽媽經常和P談她自己，讓我可以跟P慢慢拆解她媽媽的成長經驗。當P愈來愈明白媽媽為甚麼會這樣，她倆的關係便開始鬆綁。

P的媽媽是戰後嬰兒，在幾近自生自滅的社會環境中長大。出生在五個兄弟姐妹、父母都忙於生計的家庭，「子女絕對服從」簡直是維持家庭基本運作的重點。**P媽媽很習慣服從，她對父母的愛，必須通過**

服從來展現，一不服從，就會被打罵，所以她也同樣期待P這樣「愛」她。P回想起，媽媽連丈夫都是父母幫她挑的，她開始明白在媽媽心裡，大概難以想像一種能包容子女自主的愛。

上一代以絕對服從表達愛

另一方面，媽媽的強勢也與她的婚姻有關。P說爸爸年輕時嗜賭，都是媽媽賺錢養家，媽媽不再信任爸爸管理錢財，而且媽媽對爸爸也漸漸少了尊重，形成二人「一強一弱」的狀態。（事實上，媽媽控制財政大權的確有用，爸爸沒錢去賭，家裡真的安寧許多。）

媽媽說穩定比較好，P就去當公務員；媽媽說學藝術沒出色，P只好放下繪畫興趣，去讀會計……P的成長法則，基本上就是聽媽媽的話；她的快樂和媽媽一直緊扣。直至她組織自己的家庭，當了母親，她才意識到，再不能萬事都以母親的喜惡為先；她必須正視，她想當一個跟自己媽媽不同的母親。

當一個跟媽媽不同的母親

一直繞著熟悉的圈圈，因為她的新角色，有了不一樣的視角。她開始問自己：「我還要這樣繼續嗎？」

我請P反思：

「你可以讓媽媽擁有自己的心情，同時好好愛她嗎？」

「你可以不犧牲『當你想當的母親』這個目標，並在你認為可行的範圍去照顧媽媽，然後容讓她感受自己的感受，你仍然能快樂地當自己嗎？」

「你可以承認你的自主需要嗎？而不是透過自我犧牲，去換取你的快樂嗎？」

「你說你想自己的女兒比你更自由，那麼你想身教她這件事嗎？」

「你能真心為自己的選擇負責嗎？」

「你能為自己當上最好的自己而快樂，而不只為當上媽媽的好女兒而快樂嗎？」

你快樂，所以我快樂，這樣並無不妥。同時，**我們可以學習的是——你也許為我一些決定而不快樂，我也為此難過；但我仍要盡力去令自己快樂起來，只有這樣，我才有機會為你帶來更多快樂。**

2.2
我忍你好久了！——繞不出自我懲罰傾向

有一些圈圈，是一代又一代的人繞著的。
他爸爸打他、罵他，
他照樣傳給兒子，創傷一代傳一代。

J是被迫來面談的。

J經常對兒子又打又罵，和太太的育兒方式大相徑庭。太太心痛兒子，無可奈何下就提議和丈夫來跟我面談。

J覺得自己沒甚麼不對，即使偶然出了手，都是兒子「不聽話」之故。**J很難感受他人的角度，例如他很難明白，要其他人用他的角度去看事情，本身是不合常理的**，尤其那個是他九歲的兒子。J不斷數算兒子犯了多少錯，當他怒火爆發時，他的想法就是「我已經容忍你很多次！」、「你抵打！」

高要求及欠缺同理心

J太太走了第一步，第二步靠J踏出來：他其實要好好照顧自己，對自己有慈愛心，理解自己需要被包容、接納和原諒……比較困難的是，他**未必覺察自己有這個心理需要**。

你可覺得自己或身邊的人難以接納過失嗎？

你會因為犯了小錯而生自己的氣很久，有時憤怒得不成對比？

或者相反，普遍看不過眼他人的過失，非常憤怒，經常說「不要找藉口」、「他們根本就要為事情負上全部責任！」

內心有一種明確的規則：犯錯便要受罰！

這裡我們談了兩個面向：**對他人的錯和對自己的錯**。一些人較傾向「嚴以律己，寬以待人」，也有些人既對自己嚴厲，又對別人苛

刻。在這個高要求之中，很容易對他人的不完美感到不滿，而且會有不容原諒的傾向，有高度的懲罰性。更極端的話，他們難以「對他人感受抱同理心」，遑論原諒或包容別人，甚至會看見他人被懲罰而覺得高興。

如果他們在日常生活犯了小錯，甚至並不是犯了錯，只是後來發現更好的方法，他們都會責怪自己，產生很多內心小劇場。

戾氣滿滿 夾帶罪疚感

如果你走進他們內心，你會聽見很多可怕的自我對話，例如他們會跟自己說：「你真沒用！」、「你不要找藉口了，全是你的錯！」、「你真抵罰／抵死！」，或是「你唔死都無用！」再者，他們會有意無意懲罰自己，可能是不准自己做喜歡的事情，可能是不准自己吃好吃的東西，甚至傷害身體來「贖罪」。

他們的內心會因為小過失、不完美，產生很大羞恥感和罪疚感。可以想像，這種現象重複出現的話，會怎樣影響到一個人的自尊心？高度自責的人可以令人難以承受，甚至煩厭。

當我知道J和太太在幾年前，因一宗交通意外而失去了另一兒子時，我對他的焦慮比較能夠同理。

失去兒子的意外完全始料不及，J愈發覺得：「不聽話」可能出亂子，事情可以生死尤關，所以他分外緊張、要兒子聽話。而他在紀律部隊工作，也不斷促進他這種「你真沒用！」、「你不要找藉口了」，或是「你唔死都無用！」等等責備為主的模式。**J有這種「不能饒恕」的傾向，讓他合理化對兒子的懲罰。**

J很難接觸到自己的「焦慮部分」，而只是接觸到焦慮上面的「生氣部分」，令治療很難推進——

所以，我第一個任務，就是讓他看見自己心裡難以平衡，因為兒時沒受過這種優厚的對待：被包容過失、被原諒接納。

爸爸罵他的話　傳給兒子

J慢慢坦誠說出，他的童年過得挺辛苦：父親有頗嚴重的暴力傾向，小時候被打到背脊開花，衣服都黏著發炎的皮肉。活在一個充滿懲罰、而且暴力的環境當中，使他對被喝斥、被公開侮辱、被肢體傷害等有很高的忍耐力。他習慣為這些殘酷對待冠以名字，那個名字是「我為你好」，因為那是爸媽跟他說的話。

J很容易視孩子的不聽話為「與他作對」，就像他爸爸罵他的話，他照樣傳給兒子。創傷一代傳一代，可以是無意識的。

當我問他：「你現在長大成人了，你覺得父母為你好而做的事情當中，有多少是真的為你好呢？還有沒有其他可能？」

「八成吧！」

「那麼，兩成是……？」

「他們自己壞脾氣，發洩情緒……之類。」他的面容開始放鬆下來。

當J看見了受傷的自己，特別當他能連繫到小時候的自己——只因為愛玩，便被打得頭破血流，他才同理、包容兒子多一點。他甚至慢慢看見他對自己孩子的妒忌：「你過得那麼好，幹麼還不聽話？」

因為對他的內在小孩來說，他兒子的日子，實在比他小時候好太多了。兒子喜歡樂高，J也會一擲千金買給他。

我問他：「你很疼他啊！你平時連波鞋都捨不得買，不是嗎？為甚麼你買那麼多樂高給他呢？」

J說：「我不想他羨慕別人的玩具而自己沒有！」他說起來斬釘截鐵，活像已發生在他兒子身上。細問之下，那其實是J小時候的遭遇。這是父愛，也是為自己的「過度補償」……

承認童年被虐　需要很大勇氣

我沒有能夠完全把J變為一個非常有耐心、包容錯誤的家長。畢竟，承認自己被不公道地對待、甚至被虐，其實需要很大的勇氣。相信「因為我壞所以我被打」是很牢固而具保護性的，畢竟這讓J保有和父母的依附連繫。

J暫時仍沒法承認，自己因為失去兒子而變得特別脆弱、敏感，這也是正常的。如果他可以好好照顧內心的脆弱感，就不必訴諸暴力來控制孩子「聽話」，以換取安全感。

◎

教育孩子是需要的，但因「教仔」而帶來傷害卻不是必然的。

如果我們對「犯錯」，能不卑不亢地面對，同時在該包容的地方有充分的包容，我們就能對自己說比較有愛心的說話，即使那是批評。

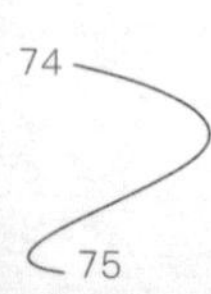

2.3 我想平平淡淡——繞不出自我感覺疏離

一般我們這樣假設：
人必定追求正面感覺，
想減少或逃避負面感覺。
事實上，
我們與情緒的關係，複雜得多。
有些人與自己的感覺疏離，
不論是正面或負面的感覺，
他們都傾向避免。

對某些人來說，平靜就是最好的，他們追求平淡；強烈的感覺，即使是正面的，都讓他們不舒適。

有些人甚至對自己的感受帶有恐懼，會有強烈的逃避經驗行為(Experiential Avoidance Behaviors)：他們不自覺與人保持距離、找藉口推掉約會、如果有人想和他成為好朋友，他就想逃跑、看電影時不想看到結尾、做決定總是猶豫不決，話說到一半就不說下去……但凡令他感受強烈的東西，他們一律逃避，因而沒法建立深刻的人際關係。

我想逃離　也想與人連結

這樣的人通常有逃避型的依附關係，嚴重的會有逃避型人格障礙。**他們的核心需求——與人連結——長期不被滿足，自此感到無從與他人連結。如果遇上感情豐富的人，他們可能會避之則吉，覺得這種人太情緒化，要求太多情感關注，他們沒法給予。**

我的一個舊個案表達得超貼切，她說「經驗感受」這件事就像撞車：我這一下子還站著(感覺平靜)，下一分鐘已經被車輾得粉碎(感覺出現)了。

敏患了暴食症已經四年，斷斷續續面見過不同的醫生和心理學家，情況時好時壞。最壞是大學畢業和戀人各散東西時，「那時候天天暴吃，然後嘔吐，天天想自殺。」她平淡地說。

敏從小很會撒謊，包括自己對著自己的。例如，明明她活得不自由，但她跟自己說：「我其實活得頗好，工作沒壓力，又可以隨時去健身。」明明暴食又扣喉，讓她喉嚨都損傷了，她也跟自己說：「沒事的，明天又一條好漢。」

「她愛我，比我愛她多」

有趣的是，當我反饋我從與她的對話中看見的她、不斷給出「看見」，她面談第二個月就不再暴食。她為此很開心，卻總是告訴我，她不想再來：「我幾乎今次就不來了。」她說每一次她都很不想來見我。

我知道，對敏來說，心理治療是「太親近」了，我對她的情緒有很多肯定，當她內心的矛盾愈來愈清晰時，她覺得不適。即使她明明知道自己沒再「逃去」暴食，但她還是想逃。

我知道她有女朋友，但從來很少聽她談及。有一次我問她，你和女朋友關係怎樣呢？

「沒甚麼。」她聳聳肩。

「我很少聽你談起她。」我好奇，那個親密關係真的那麼平淡，抑或她不想跟我分享？

「她很遷就我，我說甚麼她都說好，」敏平淡地說，平淡地補充：「我想，她愛我比我愛她多。」

「是嗎？我記得你上一段關係結束時，你難過得天天想自殺……」

「也許就是因為這樣，我決定找個不會令我太難過的人吧。」敏一貫淡淡地說。

敏說話音節很短促、爽快，語氣卻是淡淡然，沒甚情緒起伏一樣。內心裡，她被焦慮困擾，不停用暴食來舒緩難過的情緒。只要有人跟她提出意見，她就感到壓力，必須找到足夠理由辯解，才能讓自己堅定心意一樣。

她的媽媽，卻是無可化解的死穴。

「有時候，我覺得我很幸運，收入豐厚又自由；可是媽一打電話來，我就心慌。」

「你怕甚麼？」

「我不知道。好像我又做錯事、會被罵。」

媽媽的扯線公仔　以媽媽眼睛看自己

有一次，敏一進來流露少有的怒意。「好煩，明明同事問了我批准，轉頭媽又反了我的決定。」

「她不放權給你，但又要求你留在公司做總經理？」我問。

「……是啊。我不過是她的扯線公仔。」

她在媽媽的公司上班，名義上是個總經理（她還未到三十歲），實際上就是媽媽意旨的執行人。

當扯線公仔是敏很熟悉的事，她從小就被媽媽管得很仔細，放學去哪些興趣班、補習班，跟甚麼朋友玩，媽媽都有指示。當上籃球校隊隊長，媽一句「讀書為重」，她也就退出了。

敏有很複雜的個人感受，卻習慣用欺騙自己來緩解：一方面，她感到「不自由」、「被控制」（甚麼都媽媽說了算……），另一方面她的謊言著重於她感到「自在」的時刻（「沒關係，我的工作高回報又自由」）。**這種內在衝突很大，敏的自主需求長期不被滿足，她必須逃避那感受，所以多年來她學會很多逃避行為，包括暴食、消費、煲劇等，來轉移視線，麻醉自己。**

◎

敏根本不知道自己想過怎樣的人生。

「你欠我的。我為你付出那麼多，你還不聽話？」媽從小就用這些話，引發敏的內疚感。

敏從小常被母親體罰，她內心對媽媽有很多恐懼，加上媽媽有很強控制慾——反正表達相反意見只會被打罵，倒不如偷偷做自己的事算了——所以她從小就學會順從和陽奉陰違。

「你懂甚麼？做生意我比你行！」媽媽時不時這樣罵她。

敏和媽媽的關係糾纏不清。一方面，她一直用媽媽的眼睛來看世界，也用媽媽的眼睛來看自己；另一方面，她深知她並不是她媽媽，因為她喜歡女生。

好不容易出櫃的那天，好像天倒下來了——媽媽大罵她一頓，趕她出房門，然後當完全沒聽過她的剖白一樣。

父母冷暴力　孩子不安全感日增

那一天，當敏把真實而脆弱的自己呈現出來，她深愛的媽媽的反應是立即逃離，當作沒聽過，如同過去每一次的「冷對待」；這個懲罰讓敏直接覺得——媽媽要拋棄我了。

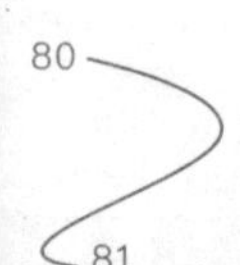

「只要我不是她想要的模樣，她就不要我了。她就乾脆當我透明，或是當我完全沒說過任何事。」這種拒絕，讓敏承受莫大的創傷。

我邀請敏把自己覺得被拒絕的那部分，坐上對面一張椅子，向著已長大成人的她表達心聲。她第一次讓眼睛濕潤起來：「我覺得自己是殘障的、沒人要的小孩。」

然後，我向著那張「小孩」的椅子說話：「媽媽走開了，但那不是你的錯。媽媽不知如何消化和回應，就只好走開。我知道你感到被遺棄，可是，那並不是你的錯。」我轉過去看著敏：「你聽到我剛才跟她（指著那張『小孩』空椅）說的話，你覺得怎樣？」

她說：「我覺得害怕和想逃。」她臉上充滿驚惶。

「我是來看見你，不是來控制你的。」我深深地看著她，她第一次在面談中流淚了。我知道，她的經驗告訴她，她一旦流露真實的自己，媽媽就會拒絕她、責備她和操控她。她害怕我也會一樣對她，這種不安全感讓她想逃。

只知道控制狂的愛

媽媽從小對敏拳打腳踢，而爸爸經常不在家，沒有人可以保護敏。媽媽控制欲很高，不但用貶低女兒的說話來達到自己的目的，也會以引發內疚的言語，去保持對女兒的控制。

——敏很習慣愛是這個模樣的。

她上一任女友也是個控制狂。敏既覺得可以依賴她(她話事就好，我只要聽話)，同時非常委屈(無論如何，都是她說的算)。在她的經驗裡，愛是不安全的，如果她一旦呈現脆弱，她就會預想到被遺棄(像她出櫃時媽媽立即走掉)或被操控。

有些人因為兒時成長環境不穩定，或遭受虐待或欺凌，以至快樂、開心等正面情緒未曾長留，會讓他們建立了「如果我感覺良好，一定有壞事跟隨」的信念，從此一旦感覺良好，便會不安。也可能**建立了「如果我流露情緒，我就是脆弱的」信念，以致會自動壓抑感受，以維持低焦慮水平，最後致力追求「平靜」**。

流露情緒等同「我會受傷」

另一些人的情況是，他與他的主要照顧者(通常是父母)有太緊密的關係(Enmeshed)，在成長過程中，他**沒有建立獨立自我**，而很習慣壓抑個人感受，去照顧另一個人的感受，變得離自己的感受很遠很遠，最後需要依靠一個「依附對象」去作很多生活的決定。

人類是群體動物，與人連結的需求是基本需要。如果你「致力追求平淡人生」，你必須明白，處理焦慮感是首要任務，因為任何情緒都會帶來一定程度的

焦慮，所以你要避免大部分能引發你的情緒起伏的源頭。這樣的代價是，你大概常感到空虛、孤單，或是自憐。

如果身邊人有這種傾向，你可能感受到，你一有任何情緒波動，他們就想和你保持距離，甚至開口拒絕你、否定你，你會感到他遙不可及，同時他又會不時流露孤寂，或投訴寂寞。想一想，他會不會受困於這個囚牢之中？

◎

我認為，如果敏持續和媽媽糾纏不清，她就不會長久地好起來。

所以，我引導她的兩個部分：一個「非常依附著媽媽」，另一個「非常想獨立自主做自己」，向著代表媽媽的椅子說話：

「媽媽，你比我更重要，我甚麼都聽你的。」

「媽媽，我可以為你犧牲我的人生。」

「媽媽我不能離開你。」

頭痛極了，雙手緊握，敏心跳急促。

然後，我請她轉過來坐另一張椅子說：

「媽媽我有自己的人生。」

「媽媽我是同性戀者。」

「媽媽我不要再事事跟你拿批准。」

她頭痛減少，拳頭鬆開，心跳慢慢平伏。

幾節下來，她開始期待前來面談，她不止維持了不再暴食，也開始談她的興趣、談她女友。她覺得和女友的感情有進步，大家更能溝通和連繫。她開始練習和媽媽說不。

她與自己的感覺的關係開始變化，並從身體的感覺上知道，如何為自己作出選擇。

第二圈

我不關心，也不想和自己相處——

第三圈

我好努力，但都無用……

3.1
機會來了，立刻退縮
——繞不出自我破壞

想減肥，可總有千萬個理由繼續……
日日夜夜吃零食或不運動；
想戒癮(吸煙、喝酒、藥物或其他)，
但總是沒法控制自己的癮；

想建立較親密的、可信任的人際關係，
卻沒法踏出第一步；
當機會來了，卻立即退縮……

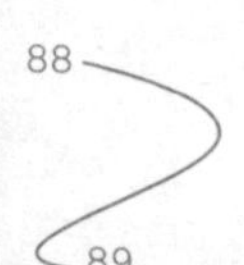

一直想試做些事情，卻不斷延遲執行，或沒法下定決心；你有重複面臨這些情況嗎？

他有。

他從沒正式拍拖，只有發生性關係的對象，他很渴望有真實而長久的戀愛關係。可是，遇上喜歡的女生時，他會表現得特別冷漠，以隱藏心思。當女生想和他進一步交往時，他立即走開。

他心想：「不可能的，人家不可能喜歡你。」

負面想法觸發焦慮　第一步也不試

這樣的循環持續，他的自我形象也持續低落，「我太肥，沒人喜歡」、「沒可能的，人家不會喜歡你」、「她太漂亮，你配不起她」。結果多年來，他都孤單一人，內心很寂寞，覺得自己沒人要。

一旦有可能開展一場認真的關係，他被遺棄的焦慮感就來了；這份焦慮驅使他早早「放棄」和逃離，以避免焦慮感持續。

這樣的「他」，聽起來挺常見——**關係上的自我破壞，也是一種自我保護機制**。這裡指的自我破壞是長期而重複的，不是偶一為之。很多

人並不知自己有自我破壞傾向，因為很多行為的後果不是即時的，我們難以看清楚，其實A的重複行為導至B事情的發生。

B並不是我們想要的，同時，B可能會鞏固A行為，這就形成自我破壞。像上文個案一樣，他長期覺得自己沒人喜歡，然後，當有女生表示對他有意思，他立即走開，心想「她不可能會喜歡我」。結果，他「成功」令自己「孤單」(B)，而這事實又鞏固他下一次的抽離行為(A)。

阻止自己達到目標

自我破壞，令我們明明想改變(例如變得有自信)，卻好像走來走去都在兜圈子。如果你回顧自己的人生時，發現有一些主題重重複複在你生命之中出現，那值得你好好注意一下，是甚麼阻礙了你，讓你沒法實踐這件事？

有些人需要經常問伴侶：「你愛我嗎？」這意味他自信心低落，不時需要**獲得肯定**(Reassurance-seeking)來維持關係裡的安全感。這些行為偶爾一次並無不妥，但高度重複的話，可能令伴侶煩厭，最終不利他發展親密關係。

如果真的嚇跑了伴侶，可能使他對自己更生氣。結果，關係不和甚或破裂，他亦不獲肯定，於是又進入自我懷疑的循環，他繼續自信心低落。

另一常見的自我破壞就是**拖延**(Procrastination)。因為開始做一件不容易的工作會帶來焦慮，就可能出現拖延的情況：看看手機訊息、查查社交媒體、上上網、看短片，噢！怎麼兩小時就過去了？然後在案頭坐好後，發現時間不夠，心裡又內疚又自責，覺得自己早該開始工作；結果事情不是爛尾，就是做得不及預期的好，這些人心想：「看，早知不會做得好！」為下一次「拖延」種下種子。

「拖延」的一個可能原因，其實和完美主義有關。如果你是完美主義者，對自己表現要求很高，你會擅長找出錯處、批評自己，然後要求自己改善；如碰巧你也很關注別人的評價，並且以此重複責備自己——那麼，你會很難開展工作，尤其是新嘗試或你沒100%把握的任務。因為你的要求非常高，一開始你就有機會面對「失敗」，以及長時間的自責。

完美主義者常有「非黑即白」的思想，會把事情分為「成功」和「失敗」兩類。而落入他們定義「失敗」的機會很高，於是製造了更多壓力給自己，令他們更難以開展一些工作，或突破自己的框框，而只是重重複複做自己有信心的事。

以拖延維護「虛構自尊」

「拖延」也有保護一個人的**虛構自尊**的作用。有些人不想面對自己能力不足這事實，於是延遲開始，有藉口去說：「我只是時間不夠，而不是能力不足」，得以維持自己對自己的形象——他們可能覺得自己很特別、是個天才。如果他們老老實實去工作，就有機會要承擔一種現實——「努力過了，效果還是不夠好，我還需要學習和進步」。這類人傾向只付出一點點就停下來，開局時風風火火，很快就無以為繼，然後就給自己理由去分心、去做其他「更值得」的事，這樣他們就能維持其虛構的自我形象。

所有自我破壞的行為都有這種效果，可以維持一個人虛構的自尊心。

這些人通常看自己也是「二分法」：我一定是「天才」、否則就是「蠢材」。他們會花很多力氣去避免看清自己其實不是「天才」，包括人與事；一搞不好，他們內心就會對自己非常輕蔑。他們很害怕面對真實的自己和內心的自我批判，寧願胡混過去，也不要直面現實。他們也可能有濫藥、酗酒等問題，這些上癮行為，進一步令他們沒法執行想做的事或達成目標，「自我破壞」的循環，又添了動力。

建立親密關係的兩難

建立親密關係會令人焦慮，是人之常情，因為它連繫到我們的脆弱感，害怕別人不喜歡自己、不接納真實的自己。但如果這份焦慮之大，大到令人在要緊關頭轉身離開，就會阻礙我們建立有意義的關係。

如果跟自己的脆弱感關係不好、經常否定它存在，或心底不喜歡感到脆弱的自己，覺得流露脆弱感很危險，我們就可能會選擇中斷一些關係、與人保持距離、拒絕開始等等，結果造成惡性循環，令自己一直難以與人親近。這個自我破壞機制，雖保護我們免受情感傷害，卻也令我們無法擺脫孤寂。

另一極端的相反情況，有些人會刻意做很多事來刺激自己的親密伴侶，好像測試對方的底線或對方到底有多愛自己。如果這些行為真的導致關係破裂，他們就會「自圓其說」:「我就知道他會離開我。」這種無意的自我破壞行為，同樣有保護我們「避免投入更多感情、最後失落或被傷害」的作用。

看見自己行動與結果的關係

要不再繞圈圈，你首先可能需要檢視的，是你想實踐的事，和你想過的人生、你的價值觀有甚麼關係。

有些人有以吃來減壓(Comfort Eating)的傾向，三四周一次沒甚麼問題，但慢慢演變成一周一次、甚至一周幾次；慢慢「三高」、過胖，那就麻煩了。原本吃的目標不是為了減壓嗎？怎麼反而愈吃愈大壓力？

當然，看見了行動與結果的關係，不代表我們能立即打破它，但好好分析，最少令我們更了解自己，為拿回生活的自主權打好基礎。

3.2

一場外力操縱，蒙蔽了自我——繞不出完美主義

可能你的經驗讓你相信，
你必須表現優秀、甚至完美，
才值得被關注、被愛或被接納。
但我們要記住，完美主義不是自我概念，
而是思想的囚牢。

完美主義是學習得來的。

可能家中有對完美主義的父母，可能學校非常嚴厲，過分注重成就，並以此來看待一個人的價值，這些都是育成完美主義者的土壤——我們的社

會，是非常鼓勵完美主義的。社會吹捧競爭，職員被要求做事非常謹慎、避免出錯。因此，不少成功人士都有這種特質，但完美主義者不等如事業會很成功。

完美主義不是自我　不是性格

完美主義不是自我概念，而是思想的囚牢，可是很多人並不知道，還推介給別人享用這個囚牢。而放棄完美主義，並不等於自暴自棄。

T喜歡做投資工作，管理人不是她擅長的，所以她多次拒絕升職。

T每朝用兩小時妝扮才出門見人的。我請她先問問自己，如果打扮得不夠漂亮，她擔心甚麼？會發生甚麼事？她擔心同事用嫌棄的眼光來看她，不再覺得她的工作能力值得關注，對她的工作表現更挑剔。

「你認識的人之中，有多少個會每天花兩小時來妝扮呢？這些人又怎樣避免你擔心的事情呢？」

她說，她擔心的事情，好像沒發生在認識的人身上。

有完美主義傾向的人，很擅長找出錯處和不足。他們的焦點，往往落在「提升點」上。他們經常抱著超高標準去評價事件，並相信他們的要求一點都不高，只是基本要求而已。有些完美主義者也有冒名頂替症候群(詳見小節4.1)，當別人讚賞他們，他們通常表現得不以為然；當事情達到他們的標準時，也只會開心一會，就立即埋首下一個目標，朝著「完美」進發。最終，他們很少感到滿足或滿意。

甚麼都評分 「愛」也看表現

再深層次一點說，完美主義者通常有以下兩個特色：

一、甚麼都能評分。完美主義著常把人生的各方各面都評價一番，自動給自己和他人各方面打分數，令別人感到壓迫。他們不相信有「無條件的愛」，因愛是建基於表現之上。他們心底往往覺得，必須把100%時間花在工作/學習上，因為「完美」幾乎是你盡全力都不能達到的標準。

二、「二分法」思維。不自覺把事情分為「成功」和「失敗」、「好」和「壞」等，甚至有「不是一百分，就是零分」的思維，所有失誤或過錯都等於零分。

這種思維帶來的壓力很沉重，因此他們有重複自己的傾向，這樣就最安全，不會出錯，不會零分。

既然T看見「不花兩小時妝扮，也不一定令他人對其工作表現失信心」，我就邀請她嘗試挑戰這個想法。她決定試試早上不洗頭，省掉三十分鐘，然後看看她所擔心的事情到底有沒有發生。一星期之後，她發現省去這半小時，沒被同事嫌棄，甚至根本沒人注意她沒有洗頭。自此之後，她再從小事入手，去挑戰自己各種固有想法。小力敲小力敲，完美主義的思想就沒有那麼牢固了。

愛惜自己、照顧自己，我們必須接納不完美的自己是足夠的。我們不需要完美，才值得被愛。

如果羅列完美主義者的特質，會有以下幾點：

- 你經常覺得自己很多方面都做不好
- 你常為自己訂立幾乎不可能達成的目標
- 犯錯了，你會覺自己很失敗，而非視為學習的必然過程
- 你為避免未能完美地完成一件工作，而遲遲不開展
- 你經常以「我應該」、「我必須」的句子來思考
- 你難以放鬆，很不容易和人輕鬆分享自己的想法與感受
- 你在工作、家裡或社交上，會被形容為「太喜歡控制」
- 你喜歡規則和秩序，喜歡條理及認真，有時令其他人難以承受

我們可以把完美主義者分為兩類：

A、為追求超高標準而行事，重視學習新技能，並享受達成目標的成就感。

B、追求完美的心，來自於害怕丟人現眼，內心非常在意他人的看法，害怕被批評。

從犯錯看到價值　才算成長

純粹是*A*這類完美主義者的話，比較健康，他們有活力、有幹勁。重點在於「成長」，他們能夠從犯錯看見價值，並接納它為學習的一部分。

但如果是*B*，或是*A*+*B*的話就不同了：內心充滿壓力，他們會常有拖延的問題，避免開展工作，以避開犯錯的壓力；他們害怕嘗試新事物，因為嘗試而犯錯機會太高，於是傾向重複自己、因循守舊，創意自然沒被好好培育。這類完美主義者往往沒能達到很高成就，因為他們欠缺冒險精神，只想重複做自己擅長的事。

屬*B*，或*A*+*B*類的完美主義者，有時也會有「屈從討好」的傾向，詳見小節4.2。

那麼，「完美標準」會在日常哪些地方呈現？

- 你的衣著、外表需要完美無瑕嗎？會花很多時間去穿搭打扮嗎？
- 你的人際關係需要完美嗎？你會過分擔心他人的看法，或不能接受關係不和諧嗎？
- 你的興趣，例如打球、跳舞等，需要做到專業水平嗎？本來能減壓的興趣，帶給你壓力嗎？
- 你的工作裡的各種事項包括報告、電郵等，需要完美無誤嗎？你有為此而花上超多的時間來重複檢視嗎？
- 你為自己訂立的目標，是不是合理而可達到的？你的好朋友會怎麼看？

當你開始從方方面面去思考完美主義正怎樣給予你壓力，你就開始管理這份壓力了。

你可以，準備挑戰完美主義。

3.3 沒東西思考時，我會害怕——繞不出長期擔憂

長期擔憂一般以「不斷思考」的方式出現，
把我們的心神都帶走；
這些想法會引發緊張或焦慮，
讓我們不自覺地陷入沉思(Ruminate)，
身體保持繃緊狀態，難以放鬆。

Y問男朋友：「如果患了心臟病，我點算？」

他說：「唔好諗咁多。」

Y心裡不安：「如果真的患了心臟病，我點算？」

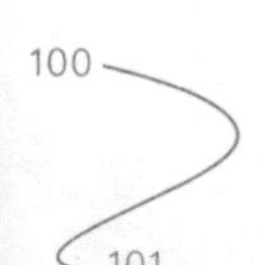

Y「擔憂」的習慣仍然不時回來，明明疑病症已經痊癒了。她本來因為經常逼醫院、做檢查，而被醫生邀請來見我。她經常懷疑自己患上各種致命疾病：心臟病、癌症等，這些擔憂往往由一些很微小的身體感覺所觸發，然後引爆一連串的思考：「會不會是XX？」、「我的存款夠用嗎？」如果這時候拿出手機上網一找，Y就會被各種可能性嚇倒，最後求醫。這情況重重複複，於是醫生請她來跟我面談。

當擔憂成為習慣　人會不斷沉思

一個人悲觀可以導致長期擔憂，但長期擔憂不一定因為悲觀，可以因為他相信「擔憂是必須的，它為我做好準備、迎接未來」，不是預期事情向壞的方向發展（悲觀），反而是：**我相信擔憂是有價值的、是需要的、是好事——擔憂的正面價值被肯定了。**

如果這種長期擔憂成為「習慣」，開始影響我們的生活功能，就會成為心理疾病，例如社交焦慮、廣泛焦慮症、強迫症等等。（擔憂是行為／思想，焦慮則廣闊一點，包括焦慮的感覺、身體反應、心裡有情緒，當然還有擔憂的想法。）

我們每人都有些不自覺的習慣，重重複複，構成「日常」。Y形容她的日常：

「有時候，彷彿刻意會找回那種緊張的感覺。」或是：

「沒東西思考時，好像令人有點害怕」。

Y的腦海填滿擔憂的思緒(甚至決堤)，我邀請她一同潛到深處找源頭：回顧小時候，Y媽媽大概也有疑病症，對她過分保護，她也想起總是冷漠又沉默的爸爸——家裡甚麼都不管，也不工作。Y就自己顧自己地生活著。

童年為媽媽「補位」成長後放不開

「我很習慣媽媽來照顧我的健康，我來照顧她的心情。」Y說。她是長女，下有一個小五歲的弟弟，媽媽總是忙著見醫生做檢查，她乖乖地為家庭張羅吃吃喝喝，甚至水電煤交費，自從一次斷電以來，都是她負責提媽媽去處理。

Y小小的腦袋充斥「媽媽近來忙這忙那，大概會忘記甚麼甚麼」，好努力去為媽媽「補位」。小Y習慣為不確定的未來做準備。在她意識中，很少感受到「放鬆自在」。「自在」只在人生短暫出現而已——長大後和朋友去旅行時，Y會經歷一點點，然而她是「計劃行程」的人啊！這種「自在」只是相對而言。

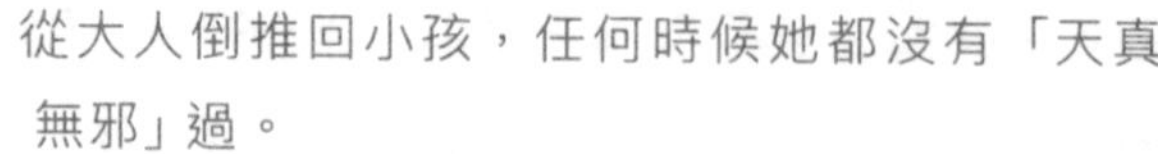

從大人倒推回小孩，任何時候她都沒有「天真無邪」過。

舒適圈不一定舒適　只是熟悉

「長期擔憂」則無時無刻為她服務：

她小時候的主要照顧者是不穩定的，無定向的，她習慣這種「難以預測」的狀態，「擔憂」讓她經常警惕——在爸爸忘了她要去哪裡上課時提醒他、在媽媽忘了接回弟弟時提醒她——**這個機制實際有用，也增加她的控制感，令小Y內心無以名狀的不安全感減低。**

Y變得自動「找回擔憂的感覺」。

她讓我明白到，沒有「擔憂」的人生，是可以令人害怕的，人與擔憂的感覺好像建立了依附關係。

◎

除了不安全感，有完美主義的人也可能形成這個傾向：我「必須」想那麼多，因為那些「預備」是需要的。他們會想「做好萬全的準備」，害怕一旦出錯，「我會怪責自己」。

擔憂習慣的圈圈，也可能源自**一個「嚴厲的內在批評者」**，擔憂是其保護機制，如果一個人有強烈的「自責」傾向，就會在事情未發生之前，「我擔憂啊，我怕我犯錯了」。

當「擔憂」讓一個人習慣到「我不擔憂會不自在」的地步，他會不自覺地找回它、成為了舒適圈。

其實，舒適圈不一定很舒適，就是熟悉感而已，它也可以讓我們逃離自己的身體感受。

靜觀練習　從沉悶不安到自在

靜觀也讓Y不舒適，但引領她返回身體和感受。

治療Y「疑病症」時已教她靜觀，這一次我與Y來更長一點的練習，大概四十五分鐘左右。慢慢地，Y開始和自己的想法有了更大的距離，知道想法來來去去，而自己並不等同於自己的想法；同時，她覺察到身體各種感受愈來愈敏銳，也碰上很大的阻力：沉悶感。

Y很難維持那麼長的靜觀練習——她不是中途不耐煩、打開眼睛偷看時間，就是身體感到像螞蟻咬的癢感，令她非常不自在。我明白這情況之後，就和她一起練習，從「應對痛楚」的靜觀練習中轉換過來，和她面對那種「蟻咬」的感覺；同時支持她專注感受身體的需要：稍稍搔癢、移動身體，甚至給身體一些磨擦去回應這種感受。此後，她注意到「沉悶感」的上升、下降、來來去去，**而她也不等於她的感受**。

她開始感受到，自己是一個容器，讓她的思想和感受，來來去去。

幾周之後，她開始和這種沉悶感有了不一樣的關係——從不安、抗拒，到接納、享受。

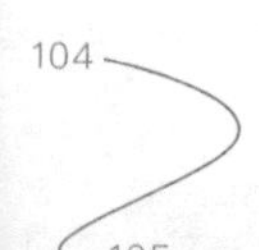

「我發現了一件事，其實沉悶也可以是自在。」

專注於身體感受　放開「擔憂」的沉思

後來當我們再探索，那個「不斷擔憂」的部分曾經幫助過童年的Y，她莞爾，並開始對自己(包括自己身體的感受)有了更多的自在。她去學習書法、畫畫，從靜態的東西之中，找到安在，學習放開以「不斷擔憂」來換取安全感。

Y跟男朋友說：「我發現了一件事。」

他說：「唔好諗咁多。」

Y說：「學習點樣好好與自己身體相處後，我能夠安在於『不糾結於擔憂的思考』嘅狀態。」

3.4 你說這樣對不對？——繞不出尋求認可

當「尋求認可」這個方式被過分使用，
甚至去到一個程度，
如果收不到他人的確認，
便沒法心安做選擇或採取行動時，
我們就要開始認清楚，
這個應付方式是不是不管用了？

「我愛她才這樣啊！」

V最近經常問：「你愛我嗎？」、「你在哪裡？」、「你和誰在一起？」，令她的伴侶不勝其煩。

「可是現在看起來，她覺得這樣太煩了，反而影響你們的關係。」我跟V說。

V起初看不見這樣尋求**「被愛的肯定」**有甚麼不妥。我問V，是甚麼讓她那麼害怕失去伴侶？V慢慢打開心扉——大概從她失業了半年時開始。她覺得，她已年屆四十，失業大半年都找不到工作；同性戀在香港仍然不能結婚，她害怕當會計師的伴侶會離開她。

P快要畢業了，她就要離開她的英國男友。

P很擔心要回國內去。拍拖前已經想，其實念碩士已夠辛苦的了，實在不很想再念上去，所以她開始找「體面的工作」，但寄出去的求職信都沒回音。可是她知道，媽媽期待她：一是有大學教職，一是繼續念博士。

「如果我失敗了，媽媽就會失去她在家族的地位。」

追求肯定與支持　成長必經部分

在我們困惑、不知所措時，追求被肯定、認同或支持，都不是錯。所有人都需要被認可和接納，也需要諮商他人的意見，需要感受到自己的選擇被支持，然後透過實踐所得的回應，去回想和審視這個選擇是否合適——我們從中學會教訓。

尋求認可，可能就是一個服務過我們的方式。我們的自信心、自我價值感和自我概念，都不是憑空而來的。

V一向自信心低落，經常需要獲得肯定，特別是在親密關係中，本來這些行為偶一為之並無不妥。

V說她一直很依賴她的伴侶，對她千依百順，因為她覺得對方條件很好……說著說著，V就流了眼淚。「我連一份工都保不住……要是她不要我，怎麼辦？」

——焦慮，讓V的尋求肯定行為變本加厲。

P正修讀心理學碩士。她來見我的時候，已經帶著很多自知，她說：

「我知道自己非常重視他人對我的看法，而這跟我媽是上海人多少有關係……(下刪三百字自我分析)

「我知道有時我過分重視他人的認同，所以不斷找東西讓我能得到確定，例如我仍然會參加鋼琴比賽，其實是不必要的，也讓我很有壓力，但我還是會參加……我也有點害怕如果畢業了怎麼辦……(下刪二百字解釋)

「我知道我的自我價值不在我的成就上，我有點自信心不足的問題，可是呢，我也沒辦法……(下刪二百字形容)

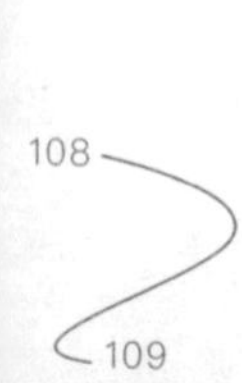

很多反省沒中核心

「你看我是不是有問題？你有辦法幫我增加自信心嗎？」

我跟P說，有自知和反思是好事，可是這些「反思」咕咕嚕嚕在腦子轉，讓你停不下來的話，那還是感覺不太舒服吧？

——P連番說是，但就是沒辦法。

當「尋求認可」這個方式過分而廣泛地使用，甚至去到一個程度，如果收不到他人的確認便沒法心安做選擇或採取行動時，我們就要開始認清楚，這個應付方式是不是不管用了？

了解自己，是何時開始這樣費勁地尋求認可，是從中鬆綁的開始。

當我跟V探索以前的親密關係，是否都有類似情形時，她開始看見了自己，很怕被拋棄……V心底害怕被遺棄的焦慮感，來自嗜賭的父親。小時候，家裡靠媽媽養家，父親欠債纍纍，令她有很多對父親失望的經驗……她從小只能從母親那裡獲得口頭認可，可是主要照顧者卻是父親。他是飄忽的，經常忘記V要去哪兒上課、忘記煮飯，或乾脆天天買相同的飯盒給她。自從V拍拖，一旦她心頭冒起不安全感，就想要從伴侶身上得到確定。

尋求認可，可能是我們害怕被遺棄的補償機制之外，也可能是我們害怕失敗的補償機制。

害怕被遺棄的補償機制

P成長在上海，爸爸做生意，媽媽是爸爸的秘書。身為獨女，她被父母期待成為很出色的人，媽媽尤其期待甚殷。P說，因為媽媽是二房，生了P這顆掌上明珠，要來抓著P爸爸的心。「因為正室生不出孩子。」

她很習慣凡事先問准媽媽，不是媽媽特別專制，而是最可靠。聽話的P頗得爸爸歡心，所以爸爸也定期在家中出現，媽媽說那是因為P是乖女兒的緣故。

乖女兒意味著過循規蹈矩的生活，爸爸喜歡讀書人有氣質，P就不斷念書，到外國念研究院，她說都是媽媽的意思。我問P如果她不跟從媽媽的意思，她自己想怎麼樣？

「我沒甚麼想法呀。反正讀書是我擅長的。」P說。

我再問，那麼你有想試的事情嗎？你有想過人生要怎樣過嗎？是甚麼帶你來見我呢？

P說因為她很害怕：「如果我失敗了，媽媽就會失去她在家族的地位。」

P的失敗，意思是她找不到體面的工作，和做點出色的事讓父母歡喜。她很害怕爸爸會離開媽媽，因為那是媽媽經常說的。沒得到父母的認可是可怕的，因為那不止關乎她，也關乎媽媽的福祉。她不但害怕失敗，也怕連累媽媽。心底裡，她對自己想過甚麼生活沒很多想法，她不介意平平淡淡，做份簡單的工作。

舊機制不管用 要找新出路

對V和P來說，尋求認可都是兒時曾經有效令她們感覺安全的機制，只是當這方式不再適用，或甚至像V為她帶來麻煩，便意味著她們需要學習其他方法，來照顧心裡的不安全感。

我們用尋求認可以應付壓力的方式，當不管用時，我們需要改變。

「當你失掉一段又一段的親密關係，你重複落入『我不值得被愛』的自我懷疑之中，直至下一段關係出現，然後當你焦慮，你就重蹈覆轍，是嗎？」

V聽了，好像突然醒來：「是惡性循環啊！」

第四圈

我困住了自己

4.1 我沒有你說的好——繞不出冒名頂替

「冒名頂替症」圈圈，是「歸因」的問題。
懂得客觀地歸因，看見人為努力之外的各種因素，
即使事情不順遂，我們仍可為自己的付出而自豪。
只有這樣，
我們才能建立心理的彈性。

家裡期待他成為大律師，B就考入劍橋大學讀法律。

B來自一個非常富裕的家庭，習慣舒適的生活圈。父母都是知識分子，從小鼓勵小孩「讀書必須成績好」，B在傳統名校當上傳統精英、傳統風頭躉。

B明顯很優秀，明明就是大眾眼中那種「走在人生大贏家的路上」的成功人士，可是，他來到我跟前。

「一有大案我就沒法入睡，加上師傅要求高，經常半夜發短訊，我更加沒法睡好……」他覺得很焦慮，沒法睡好已經好長的一段時間。

「我其實根本不能算做大律師。」

低自尊自信　觸發社交焦慮

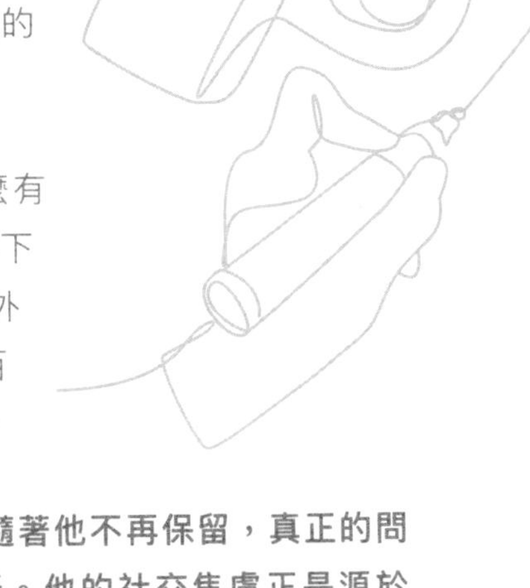

做大律師(或任何事業)是很辛苦的，要有真材實料，也要圓滑做人。B部分焦慮來自維持他的人際關係，維持「專業形象」，他有輕度的社交焦慮。

「我沒法去聚會，不想再見舊校友，我怎麼有面見他們？我還不知道能不能在這行生存下去。」B一出門見人，就很注意他的表現、外觀、談吐；如果見的是行家，他會緊張百倍，他害怕稍有差池就證明「我是冒牌貨」。

——起初，面談主要處理B的社交焦慮。隨著他不再保留，真正的問題慢慢打開：他的自尊感和自信心都很低。他的社交焦慮正是源於自信心不穩實，他覺得必須靠他人的肯定和讚美，才敢繼續走下去。

我問：「可是你明明是個執業的大律師啊！為甚麼會有這樣特別的想法？」

「那是好運而已。我哪裡有那麼棒啊！你不知道，XXX才是真正厲害的大律師，行內人人都說他是明日之星……」

免被揭穿 不敢與人親近

在我臨床的經驗裡，不少專業人士都有這個情況，他們看來風光，但內心覺得自己是個冒牌貨，於是不敢流露自我或與人親近，以免被「揭穿」。他們會因害怕失敗或表現不如預期而拖延工作，身心經驗很多焦慮與抑鬱的情緒。

冒名頂替症候群，是指一個人覺得自己並沒有他的成就看起來那麼好，或那麼有自信和能力——「要是你真的了解我，就知道我是『假冒的』。」

有時這情況是和強烈的自卑感、羞恥感相關：一個可能的原因是，**他在充滿批判的環境中成長，長期接收「我是不夠好的」信息。**如果孩子動輒就被批評，特別是日常小事，家長都以不成比例的激烈方式回應（如孩子不小心倒瀉飲料，家長整頓飯沒完沒了地責罵），那些言語若然還帶有暴力、羞辱的成分，更會讓孩子產生很多羞恥感。

主要照顧者的回饋　建構底層感受

這種**底層感受**是不理性的，令一個人獲得成就時，傾向於歸因外在因素（運氣、時機、偶一為之），而不是個人因素（例如努力、資質、個人特質）。

若然反倒來，家長盡情讚美呢？「你真棒！」、「你是全世界最叻的！」——若家長的稱讚是模糊的，也無助於提高孩子自信心，原因之一是不夠具體，是甚麼東西他做得很棒呢？是甚麼行為或成就令你覺得他「很叻」呢？如果具體因果沒有被點出來，孩子就無法從家長的回饋中學會準確地歸因，從而建立起健康的自我。

另一原因是稱讚得過分「誇張」，這在西方家庭可能更常見，就是那些「你是全世界最好的」。**這種誇張的讚美，給孩子很多壓力，因為那個陳述顯然是不可能的**，孩子心裡會為「如果我不是全世界最好的呢？」犯愁，害怕讓家長失望，讓他更害怕犯錯，因為一旦犯錯，「全世界最好」的面具就被拆穿。

和B談他的童年，要花很多力氣。他很害怕不小心說了「不孝」的話，污衊名人父母的名聲，B從小就學會怎樣給人家面子。驟聽他的童年是完美的：父母都是有名望的知識分子，經常誇獎他，也有花時間陪伴他成長；他覺得，如果不是他條件比人好，他甚麼都不是，彷彿那些焚膏繼晷的日子都不存在似的。

「你經常受父母的讚美是嗎？畢竟你常拿獎項又名列前茅。」

「我父母都是超級鼓勵我的。想要的東西基本上都會有，我有興趣打劍擊，要求跟私人教練，他們就立即給我找來。」

「是啊！那麼他們是怎樣讚賞你的呢？」

「都是那些啦……**『你知道，你是最好的！我就知道你會贏的！你是全世界最厲害的，我的兒子！』**」B用英文示範一次。

「他們會為你指出，你做得好的地方嗎？例如你很努力練習，又晨早去跑步練氣，這些他們都知道嗎？」

「他們當然知道。」B一臉肯定。

「你是全世界最好的！」這帽子太大

「那麼，他們會不會給你準確的回饋？例如和你一起回顧成功和失敗的原因，一起為你付出的努力而驕傲，即使成績不是最好；一起看見你的強項和弱項，而不是說你是全世界最好的？」

B突然臉色沉下來，「我就知道，我不是全世界最好的……」

「我的意思是說，其實很少人是『世界第一』是吧？但我們仍可以為自己而自豪，因為那是建基於對自己充分的認知。可是，如果我們必須維持一個不可能實現的讚美，做『全世界最好的XX』，那將帶來超級壓力，而不是驕傲……」

B淚水在眼眶打轉，他深呼吸一下說：「真的是這樣啊！我小時候經常害怕，下次比賽我就拿不到冠軍了；下次考試我就要退步了；下次見爸媽的朋友，我就沒好成績來給他們做話題……」

他停了停：「我不是說我的父母喜歡炫耀，你千萬不要誤會……」

「不必擔心。我關心的是你的感受，我聽見了，小B的焦慮，那焦慮那麼熟悉，跟了你很多年……」

◎

正向心理學家Dr. Martin Seligman在*Authentic Happiness*教導，父母給予**真實回饋**的重要性，因為樂觀就是這樣學習得來的。

樂觀不是盲目相信「我是最好的！」、「我一定得！」，而是懂得客觀地歸因，看見除了人為努力的各種因素，即使事情不順遂，我們仍可為自己的付出而自豪。只有這樣，我們才能建立心理的彈性，能在逆境之中反彈過來。

沒能學會客觀及現實地歸因，便有機會像B的一樣以感受判斷事情，「覺得」成功只是「一時好彩」，於是無法準確認識自己的長短而建立起自信心。失敗時，不會想我是「一時不好彩」，而是「你看，我就是不濟」。重重複複之下，再多的成功經驗，都無助他們建立自信心。

客觀歸因 建獨立自尊感

長遠來說，更重要的是，我們必須建立獨立的自尊感。(見小節6.4)

沒有獨立的自尊感，必須依靠「優於他人」以獲得自信心或維持自尊。即使擁有高學歷、高成就，一旦遭遇挫折，例如失去健康而令其成就有損，自尊心就會隨之動搖。

所以，這個「冒名頂替症」圈圈，是「歸因」的問題。在乎我們是否能客觀地、現實地把「實際的成果」歸因、把「別人的讚美」歸因，並且感受它。

雖然冒名頂替症候群的普遍性研究結果不一，但肯定的是，這是一個被肯定及充分討論的現象。很多研究明確指出，冒名頂替與焦慮和抑鬱徵狀高度相關——猶如B動輒便會失眠好幾晚。

4.2
講大話才能拒絕別人——繞不出屈從討好

Yes Man 也有發脾氣的時候，
而且還挺誇張，
通常只有親密的人才見得到。
因為他們以屈從討好換得別人認同，
但換不了內心的平安。

友誼是不容易的事——如果朋友說去哪裡哪裡玩，康不想去但又不好意思提出。有時康會應承，然後到時「甩底」，令朋友頗生氣。但更多時候他會勉強自己去，直至真的受不了時，他就以暴食來紓緩他的委屈感。

康有表達自己需求的困難。工作上，他好像總是不能拒絕他人的要求，有些同事會借故推卸工作給他，他覺得好委屈，但又不懂回應。

常常，康都不知道自己想怎樣。

他說，他有時很害怕見人，因為人際關係讓他覺得自己被捆綁，可是人到底需要建立友誼與伙伴關係。康害怕被別人拒絕，故他也不敢拒絕別人，他因此感到羞恥。

他有不自覺地討好別人的傾向。

為人「隨和」、容易相處、agreeable本來沒甚麼不好；同時，表現「貼心」，經常注意人家的需要和動機，也是讓人喜愛的特質。只是，**當一個人過分把與人相處時的焦點放在對方身上，或是對方怎樣看自己，他的人際關係就很容易充滿壓力**，也很難拒絕(say no)他人的要求。

焦點在別人怎樣看自己

每個人都喜歡被認同(Recognition)，特別在成長過程需要獲得肯定(Validation)；若過分尋求他人認可，成年之後，有時會令人陷入「屈從討好」的傾向。

康的媽媽在他幾歲時就走掉，剩下爸爸獨自養育他。爸爸教養嚴苛、喜歡說教，動輒就說上一小時，康學會閉嘴讓他快快說完，省事。反正表達不同意等同於反駁，只會帶來更多的教訓。

康很習慣爸爸不明白他，慢慢地，他心裡築起厚厚的「繭」，把自己的感受都關起來。

對外，康給人很隨和無所謂的感覺；心裡，其實很壓抑。**——是的，「屈從」這種傾向在我們的「集體主義」文化中特別受歡迎，我們都喜歡人「隨和」及「體貼」。**所以，很多擁有廣闊人際網絡的人普遍擁有這特質。誰不喜歡和容易相處、沒甚所謂的人一起呢？

Yes Man委屈到爆怒的循環

不過，這種Yes Man也有發脾氣的時候，而且有時還是挺誇張的，通常只有親密的人才見得到。

有時候，康需要講大話來借故拒絕別人，也會忍不住在背後數落別人。做了不想做的事情，心裡又難受。總而言之，康難以建立健康的界限。

討好人的特質令康經常服從(Submit)他人，以致常覺得被控制，心裡累積很多沮喪感，偶爾變成憤怒，康把它投射到他人身上，突然大發脾氣。這情況重重複複出現在他生命之中，繞過一圈又一圈。

集體主義(Collectivistic)的文化和個人主義(Individualistic)的文化，最大分別就是前者**傾向於用「關係」來定義自己**。個人主義的社會較著重個人權利，集體主則常談義務。這也不無道理，因為當我們把與人的關係視為重點時，自然聯想到種種「責任」與「義務」。舉例來說：

	個人主義	集體主義
詮釋關係及相應行動	我能選擇我想做的事；對父母也可以說「不」，說「不」要清楚，也是我的權利。那不一定代表我不愛他們。	要我拒絕有關係的人的要求 ，成本很高。 以父母為例，他們是我父母，我必須尊敬他們，而且有責任照顧他們，跟他們說「不」可能會傷害他們的感情，是不孝的。
	我的工作做完了，我可以下班；他們有問題也可以找我。	我有義務協助我的下屬，我不應比他們先下班。
分別	以個人權利為重心	以責任與義務為重心

以上分別當然只是沒有背景資料的簡單例子。

華人文化重視關係 甚於真實

人際關係中的不確定性(Uncertainty)和不穩定性(Unpredictability)，在集體主義文化之中似乎更易成為危機，也更讓人擔憂，因為關係反映我們是個怎樣的人，我們會以此來定義自己。舉例說，我的朋友不喜歡我，我很可能比個人主義文化中成長的人，更傾向相信我是個不夠友善的人，或至少我需要反省，於是更願意花資源去維繫關係的和諧和穩定。中國人說「以和為貴」、「家和萬事興」，都在傳遞一種信息：我們需要和諧，而且視之為最重要的根本，願意為此付上代價。

在臨床工作之中，我經常感受到，我們的文化講求和重視關係，有時視之比「真實」(Truth)更重要，這間接促進一些「虛偽」表現和「操控」行為：不好意思拒絕別人，我們可能選擇說謊來開脫，造成很多「表裡不一」的表現，彷彿直接表達自己真實的感受是不會被接納的，是「不懂人情世故」的；或者，我們覺得提出要求會阻礙別人，便婉轉表達，或甚至乾脆借用其他理由來「操控」事情的結果。

這些都讓我感受到，我們的文化背景，有促使人「屈從討好」的傾向。

這傾向通常包含恐懼在背後，我們如果了解自己的心理機制，也許就能活得更自由。

為了協助康明白自己的真實想法和需要，我花了點時間去探問(Enquiry)他在各種情景的需求。由於他從小沒人耐心理解他、對他的感受和需要有興趣，所以在治療中，我們花最多的時間**「令他感到被看見」**。

當我能夠準確地肯定他的需要和感受，康開始比較願意直面自己。舉例說，有一次大伙兒說要去離島郊遊，康說他只有半天時間，但大伙兒並無理會……康心裡有氣，那股氣留到現在，當聽我說：「你當然很生氣啊，明明你已經提出你的時間不多，他們照樣不理，堅持去一個你花兩小時才到達的地方。」康感到自己的感受被支持了，就愈來愈勇敢地抒發己見。

我邀請他好好記錄這些委屈時刻。

回到委屈時刻　學習覺察

逐漸地，他開始意識到，在他心底想拒絕、想建立起界限的時候，由於害怕他人不喜歡自己，結果委屈了自己；我們把握這些時機來練習，讓康在面談時試試怎樣堅定地表達自己，以及拒絕不合理的要求。

若你覺得自己有「屈從討好」的傾向，我邀請你由這一步開始，問自己：

「我害怕甚麼？」

「如果我拒絕了別人，人家不高興了，我就會怎樣？」

「是甚麼令我覺得需要討好他人？」

先好好明白自己在這個行為背後的需要，是「友誼？是被接納？是被肯定？」才再探問下去，如果我得不到「XX」，那會帶來甚麼後果？直至你找到你真實想要的東西。舉例說：

「我想覺得自己夠好。」

「我想與人聯繫。」

「我想要覺得自己重要。」

你沒有必要委屈自己才夠好、才值得人跟你聯繫雖然你也渴望得到肯定和認可，但你同時在學習在人際關係中尊重自己的需要，兩者偶爾磨擦、偶爾矛盾，但本身並不互相排斥。然後，你需要在心裡跟自己說：「我想學習接納自己，學習相信自己的需要也是值得被尊重的。」

在關係中尊重自己

也請你好好注意那些「屈從」的時刻，是怎樣的？呼吸不順暢？有心口被壓著的感受嗎？有喉嚨卡著的感覺？覺察身體反應與情緒，便能注意到這是個「屈從」時刻，心底的感覺在告訴你，你需要甚麼？聆聽它，並用「主動句」寫出來，例如：

「我覺得委屈，我需要被尊重、被諮詢，而不是被安排！」**——用「我覺得...我需要...」來造句就好。**然後，到覺察比較清晰的時候，你借用你最信任（而沒有「屈從討好」傾向）的朋友的耳朵，告訴他這件讓你委屈的事情，問他「如果下次我這樣回應他，你覺得怎樣？」聆聽他的建議，由幾個好朋友發掘更多不同的回應方式。

接下來，你就可以勇敢地實驗使用這些回應方式了。

一開始若得到不太好的回應，不要氣餒，一個人由Yes Man變成懂得拒絕人，有機會令人抗拒的，但你心底知道自己在練習甚麼。

4.3 不斷期待奇蹟——繞不出弱者角色

我們可以期待奇蹟，
但不能長期活在等待當中。
我們可以為受保護、被幫忙而喜悅和感恩，
但不能因而相信：
自己不需要長大過來。

A身邊自有不同的「天使」(她的形容)來幫助她，直至這些天使都不知怎地慢慢離開了她的生命，只剩下她的先生在她身邊。

A本身有正當職業，日常生活應付自如，就是有些日常以外的事情困擾她，她開始感到抑鬱(但不至於需要服藥的程度)，也是她先生帶她來面談。

A說她有很多東西都不會，例如不會做飯；她辭去工作後，奶奶見兒子工作那麼辛苦，都沒住家飯吃，就來做飯給他們兩口子吃。A形容，「下廚真的太困難了，我不懂怎樣炆牛腩，很清楚自己沒法煮得像奶奶那麼好」。

「我很清楚自己不能做好」

「奶奶來時，你會怎樣做？」

「我就站著看她煮飯和洗碗，學習學習……」

「嗯，那麼，你試過自己做做看嗎？」

「噢……還沒有啊……我還在學習學習……」她誠懇地問我：「我沒用，總是學不好。你說我是不是該是時候去試試？」

「如果你已經看了整整一個星期，我想這些事情是要練習的啊！當然需要落手落腳去做，如果你真的想做好的話。」

「嗯……是的是的。那麼我試試。」

結果，三周過去了，她並沒試去做。先生說：「算了吧！她抑鬱，不做也沒關係，她康復就好了。」

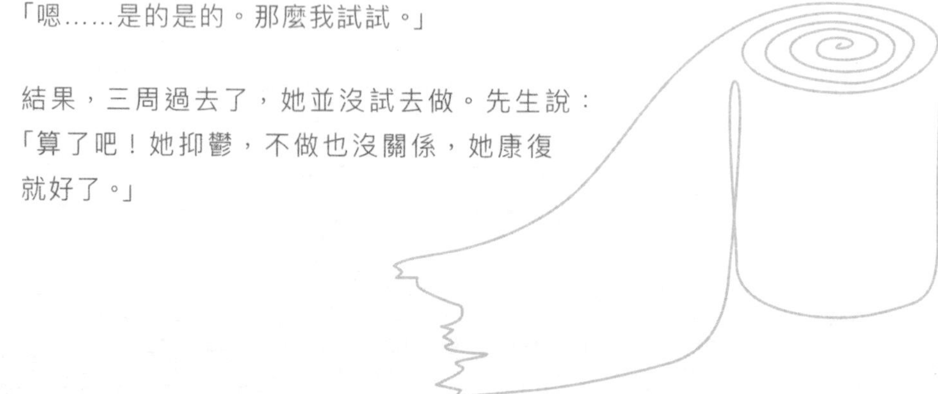

在原地不斷踏步，A 像小學生一樣發問：「你覺得我應該做 X 或 Y 嗎？」有我的鼓勵，但她不一定會做。下一次見面，我想了解有甚麼阻礙她去執行，通常都是：

「嗯真的好難，我實在不懂。」

「我試過兩分鐘……然後放棄了。」

「奶奶說我沒天分做不好！想來也是真的！」然後就**回到「我真沒用」的圈圈之中**。

治療過程中，A 不斷尋求我的「指導」或「認可」。當我發現這個重複出現的行為模式，並指出時，她表示驚訝：「這不是我來的目的嗎？」

把困難外判　極度依賴他人

我跟她深入探討這個行為模式，嘗試去了解它運作了多久、通常甚麼時候出現、在人生甚麼時候開始等等，她開始承認：「**其實我經常心存僥倖。有困難時，我最想可以像鴕鳥一樣立即把頭埋入沙中。最好可以把問題外判給別人處理，因為我沒法做好它。**」

有時候，困難被外判的人處理好了，她就鬆一口氣；有時候沒人來幫忙，她就做鴕鳥，讓事情自行變好或變壞。

當我指出她有極度依賴的傾向，並好奇問她：

「如果你自己去試著解決問題，而不是問准我或先生才做，或是決定做時，就堅持到底去試，那可能會發生甚麼事？」

「我會做到一團糟！然後我會非常厭惡自己。」她黯然。

你認識一些人是這樣的嗎？他們期待有一個英雄來拯救自己，或是期待事情奇妙地自動變好。

他們不斷投訴人生怎樣不順利、有甚麼擔憂，同時，他們好像不能做甚麼事去改變自己的處境。會花很多時間擔心未來，不斷思考如果事情出錯了怎麼辦、不斷求助（你可以幫我嗎？）、不斷問人意見（你覺得我該怎樣做？）、不斷尋求認同（你覺得這樣做對不對？）。

基本上，他們解決問題的方法，就是找人來解決它。他們經常以弱者的姿態出現，經常憂慮，嚴重者可能患有焦慮症。雖然他們不斷把專注放在不夠好的事情上，或總在擔心未來，但如果你想幫助他們學會處理，會發覺他們的焦點，不是放在如何幫助自己獨立應付事情。換言之，**他們就是不會期待自己會改變或進步過來**。如果你是這個人的照顧者，你可能會非常無奈。

我叫陷入這種情況的人為「不斷期待奇蹟的人」。或者說，他們繞著「期待奇蹟降臨」的圈圈。

A後來告訴我：「記得小學時，有一次，我整好我的燈籠明天帶回學校；一早起來，媽媽竟然把它徹頭徹尾改造了，變成另一個燈籠。她跟我說，你看我幫你弄得美多了，你拿這個回去交吧！」

A的媽媽一心幫助女兒，覺得她做的不夠好，就直接出手做好它。可是她不知道，A其實挺喜歡自己那份勞作，並沒有覺得需要媽媽幫忙啊；但經媽媽這樣一說，A頓覺自己的燈籠真的不及格，而自己真的很不濟，連勞作都要媽媽幫手才成。

擔心「可能失敗」而活在等待中

A從小習慣「必須獲得媽媽的批准」，如果她不聽話，媽媽不是囉唆到她聽話為止，就是在她挫敗時批評她：「我不是早叫你不要做這個了嗎？」。媽媽的過分保護，是不斷阻止A去嘗試新東西，因為「那會有危險」或者「你可能失敗」。

年年月月如此，A已習慣最方便的方法就是「聽媽媽的話」。如果媽媽說做「風紀」不好，會令她不能專心學習，小A就會放棄，即使她很想去試；當A「自把自為」做一些事情，例如中學時做了某學會的秘書一職……結果有挫折時，她想和媽媽傾訴，媽媽就會把她罵過狗血淋頭，指她不聽話硬要當甚麼學會秘書，令小A羞恥不已。

小A無法得到適切的肯定和指導，去引導她明白不同決定可能帶來的後果，並自己為這些決定負責。同時，她的感受經常不被媽媽所肯定和重視，媽媽太上心了，把女兒的事情都當成自己的，結果小A變得對媽媽情緒上非常依賴，也造就了「覺得自己不濟，必須依靠別人才能生存」的自我形象。

長大了，A不但很保守因循，害怕上司給她額外的責任，而且很習慣擔當弱者的角色。

當我告訴她，心理治療是要讓她最終不用再來面談，而能獨立應付自己生活時，她感受到的不是喜悅，而是恐懼。

成人軀殼中的小孩

這個自我形象的轉變，對A來說是翻天覆地的。她從沒想過自己「應該」學習面對人生的難題、以及為自己的焦慮感負起責任；她就像一直活在成人軀殼中的小孩一樣，**而讓她繼續當小孩的，不是身邊寵愛她的先生，而是她對自己犯錯、或面對挫折時太嚴厲的批評**；這個部分，會讓她持續地厭惡自己，沒法建立自信心，害怕為自己負責任。

心理治療，是幫助她內心這個小孩慢慢長大成人的過程。失落了的，能被陪伴和安撫，A才能慢慢自己學習，去安撫自己因挫折而來的失望；然後，她要學習面對內心凶狠地批判自己的部分，與之和好，並理性地明白實際上挫敗的歸因；這樣A才能被充權(empower)，而

不是利用心理治療，繼續當個事事尋求指導和認可的小孩子,來逃避為自己負責。

我們必須看清楚自己、一個真實而完整的自己，包括各種軟弱或恐懼，以及我們所不接納的部分，我們才能真正為「照顧自己」而負責，為自己的人生負責，以實踐自己定義的奇蹟。

4.4
悲觀變不了，但能加添一點甚麼——繞不出悲觀主義

悲觀主義過度的人，
難以全心全意地活在當下，
更難以覺察當下的自己。
悲觀主義者總在思考「未來」
——這會令我們錯失很多當下的美好。

來面談時，M並未確診任何情緒病。他說他是「中年危機」，覺得活得很悶、很沒朝氣，勞勞碌碌。面談當中，他最大特色就是他的「悲觀」。當我指出這個觀察時，他說：「我的太太都是這樣說的啊！」

悲觀主義的人，也許讓身邊人很掃興、挺無助，因為好像無論如何做，都無法令對方快樂一點，輕鬆一點。

傾向「很忙碌」錯過當下

「未雨綢繆」是這些人的座右銘；他們傾向「很忙碌」，因為忙著為可能出現的壞情況做準備，例如「不努力工作可能會被炒」、「如果我停下來不讀書考試，就會被淘汰」等；經常下意識地把焦點集中在「事情可以怎樣變壞」上面，他們不一定為意到，自己常活在焦慮之中，情況嚴重的話，就會帶來焦慮與抑鬱的徵狀，讓他們寢食難安。

「我的下屬的確挺怕我的，我的要求比較高，又固執，很怕事情不在控制之中。」

M已經升職到總裁級，卻仍在不斷考試和進修，我問他，他的同行是不是這樣的？「才不是。」他不斷有要讀的書、等著他考的試。M心底隱隱有一種不安全感，讓他要不斷向上爬。

他就是玩都超級認真，喜歡品酒，乾脆去考個牌回來。

「在工作上，你習慣記著他人的批評嗎？例如有十個人讚賞你，但有一個人批評你，你只會記著批評你的話，心裡可能難過很久？」

「平日你有覺得很難輕鬆嗎？如果無所事事，會覺得有點古怪或懶惰？」

「如果你感到無憂無慮，會不會反而讓你害怕起來，好像壞事快要降臨，而我絲毫沒作準備？」

他連聲說「是」。

被伴侶嫌棄 說你太負面

我說：「剛才說的，是你的個人感覺，以下我將會說的，是這些感覺所帶來的後果。你告訴我這些判斷對不對，好嗎？」

「關係上，你有時會覺得伴侶不想和你相處，或者被嫌棄，因為她覺得你為人、說話太負面？」

「工作上，你可能會有很小心反覆檢查的傾向，或是有比較固執的要求，當事情不跟你的預期發生，你會很煩燥不安？」

M靜默了，他慢慢點頭，然後說：「好像我的內心感覺，導致我的一些行為……還有太太的反應……」

「很好啊！你看見這個關係呢。」我說。

M的察覺被鼓勵了，於是我們回顧一下他的悲觀是如何習得的。他說，十歲時媽媽就離家了，家裡氣氛經常都是黑壓壓的；爸爸也是個常擔憂的人，印象中父子最多的溝通都是柴米油鹽。小時候家貧，很少出去玩……我逐步意識到，眼前這個中年男士沒有很多無憂無慮、天真無邪地玩樂的童年時光。

悲觀濾鏡　源自童年不幸

如果一個人的父母或其主要照顧者，經歷貧困的童年，或受戰火洗禮，活在非常令人不安的環境。他們在教養子女的過程中，很可能不知不覺讓下一代目睹很多憂慮的面容、聽到很多焦躁、一有事情便緊張張羅等等——讓人在成長途中自然地學習到這個世界觀：「事情總是會向不好的方向走」、「我必須想好可能出的亂子，做好萬全的準備」等。

或者是一個人的童年本身遭遇了跌宕，例如殘疾、失去家庭、父母離家等等，也會間接造成他對人生有悲觀的看法：「生命好像不斷都有不幸發生」。**當不幸的事情在童年不斷出現，腦袋出於保護我們，雷達會很敏感，不斷探測日常生活中可能出現的危險，也讓我們更注意到「可能」發生的壞事。**

「即使現在不錯，將來還會變壞」

也有些人，成長過程不太壞——至少在人身安全和物質層面上——可是主要照顧者並不重視孩子的情緒，不會和他產生連繫等，令孩子的依附需求得不到滿足，從而產生很多對人際關係的悲觀想法：「我是不會被人重視的」、「人與人的關係都是冷漠和脆弱的，即使現在不錯，將來還是會變壞」等。

◎

「我的確經常靠酒精來放鬆。」

我後來知道，M有輕度的酗酒。以酒精等外物才能鬆弛自己，也是有過度悲觀主義的人常見的情形。

悲觀是一個很難改變的情況，但我們至少可以認識它，明白它的功用和來源。

好像M這樣，回顧了一些兒時熟悉的感受（譬如好端端的，媽媽會突然離開自己）以後，他慢慢明白到，他的身體那麼習慣於焦慮和緊張，而放鬆本身竟讓他感覺危險；治療中，我和他重現兒時某個階段的狀態，並安慰、陪伴年少的他，他就一點一點學習「看見」那個害怕放鬆的自己。當M開始能夠了解到，為甚麼他的身心會有這種奇怪的情形，他感覺就比較放鬆。

讓自己習慣放鬆的體感 然後我們再慢慢探索，酒精以外的舒緩方法，讓他不會「因放鬆而不安」，我邀請他學習把焦點更多放在正面的事情上：他每周跟我匯報他的「好消息」，記錄令他感恩或快樂的大小事……把注意轉向正面的事情所帶來的情緒和身體感覺。如是者，悲觀主義便不再那麼影響到他的生活。

如果你，或你的伴侶、朋友是一個悲觀的人，想徹底改變他／她，變成一個樂觀的人是不切實際的。不再持續「努力」、「為未來準備」，本身不是一揮而就的事情，培養能令他很投入、臨在*的興趣當然好，但如果做不到，也不用氣餒。

由身體入手，泡浴、按摩、聽音樂、注意坐姿放輕鬆、做適量的運動，去讓他習慣一種放鬆的體感，是好的起點，也是不會有壞影響的探索。

悲觀可能是他／你最熟悉的劇本，你改不了這個生命藍本，也不是你的錯；但你可以看看能不能平衡這一點，為生命加添一格格愉快的鏡頭，已是更好地照顧了自己。

**臨在(Present)，就是指人在心在，一個人全心全意地活在當下的狀態。如果一個人經常在擔憂未來，經常為未來準備，或者總在懷念以前，或後悔過去，那會令人很難活在當下此刻，也就是很難臨在。*

第五圈

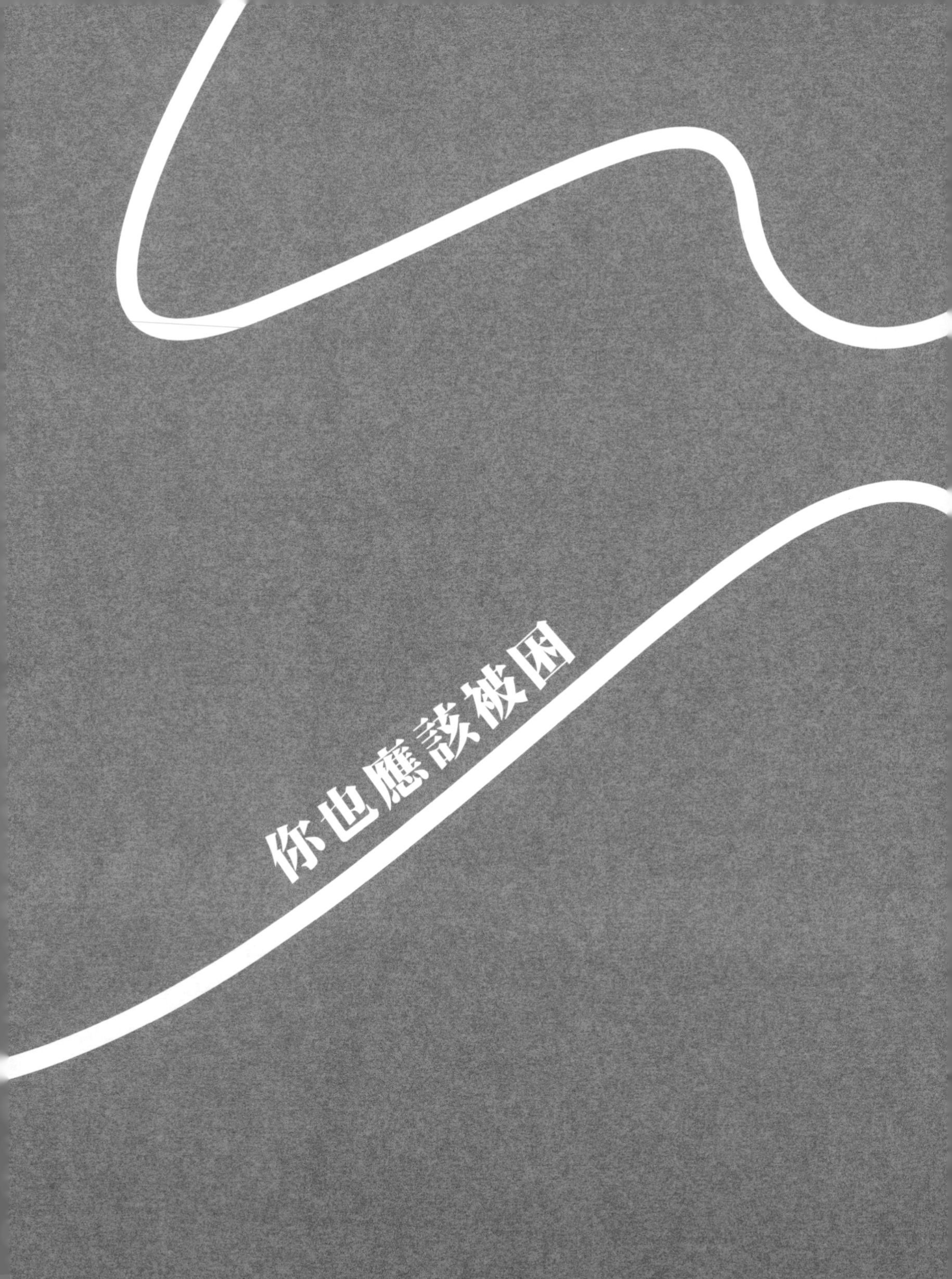
你也應該被困

5.1 不被人需要的話，我消失好了——繞不出焦點轉移

背負著痛苦的「自我犧牲」，
給出的是充滿壓力的、沉重得難以承受的愛。
想一想，
如何不帶壓力地去愛人。

B雖沒殺死自己的計劃或傾向，但很明顯覺得生活了無意義。他建立了自己的公司，對家庭有份「如果把我的手腳都斬斷，能換來你的幸福，我也願意！」的愛、生活過得很有規律、日常也會健身，身體機能良好——直到現在，心底一個小小的聲音說：「為甚麼還要做人呢？其實死掉也不錯。」因為他的孩子都長大了、離家了，他頓覺失去生活的重心。

他說：「我這才知道，這些年來養大了三個孩子，自己和太太都不知不覺走遠了。」

喪父四十年來 第一次大哭

B患了持續性哀傷。他進來診所的第一天，就為喪父的事情哭得死去活來，他說好像把眼淚一次過哭出來了。我以為他父親剛過身不久，他更正說，那其實是四十年前的事了，記憶裡沒說過的話，一說起，原來傷口仍在淌血。

當哀傷被看見、被肯定和舒緩後，他明白自己為甚麼想要「消失」。

「我已經活過了我父親的年壽很多很多，而且孩子已經不需要我了。我的任務完成。」他開始看見，這些年來把焦點都放在孩子身上，讓他的人生有了重大意義：他比父親見證和陪伴了自己的孩子更多，而且更貼心；他跟兩個女兒的關係相對和諧，跟小兒子則有點彆扭。孩子形容他overbearing(霸道)，他也感到由青春期開始，孩子就想疏遠他。

「如果我們把人生所有的快樂和意義，都放在另外三個人身上(幸好是三個而不是一個啊，心理學家心想)，那份壓力可想而知。」我輕輕提出，B立即內疚：「你也覺得我太overbearing是嗎？」

「我不是這個意思。而是我感受到你有一份『非常關注兒女』的需要，這在他們的青春期，一個想掙脫你管理的時期，你們之間無可避免有很大張力。我很好奇的是，那份自我犧牲的精神背後，還有甚麼作用在裡面？」

◎

自我犧牲，就是經常以他人的需求為優先。為人父母，就是一個典型的自我犧牲訓練過程——女性從懷孕開始，就必須犧牲部分的吃喝玩樂，男性在社會要求下，也需要對家庭更負責任。人生有很多角色（老師、治療師等等），都有這個元素：把焦點放在被照顧的對象上面，努力為對方服務、要怎樣再幫助對方多一些，再為對方安排得更好一點？

——這很正常，甚至很偉大，但可能是一種逃避機制？

把焦點移走　逃避自身的不安全感

這種焦點的轉移，由自身去到他人，本身就有逃避的功能。有些人心底裡覺得自己不值得被關注（包括自己的關注），自我價值感很低，也會用這種方式來應對；又或是內心有很痛苦的情緒無法處理，一直把痛苦關在「潘朵拉盒子」，必須透過把視線長期撇開，才能挺過一些艱難時刻。慢慢地，這種焦點轉移形成習慣。

這種犧牲所換取的，往往不止是快樂，還有安全。

B不知道甚麼是「沒安全感」，他壓根沒想過，他連身體感覺都非常麻木——他有因健身而重複受傷的紀錄，因為他經常不自覺地過度操勞；他也有驚人的忍痛力，甚至曾以弄痛自己的方式來舒緩不安。把焦點移往別人，對他來說不但比較輕鬆，也比較安全，因為一旦觸及內心的痛或缺失，他就會像小孩一樣失控痛哭。

「自從十歲時爸爸車禍喪生後，家裡就沒有人提起過爸爸。」B的世界從此缺失了一大塊：他不能提起爸爸，因為全家人都承受不了；他從不跟人談及感受，有甚麼問題都是自己默默承受和解決：「我還記得，班主任刻意叫我去見他，並跟我說，歡迎我去找他傾訴。」B說起來熱淚盈眶。雖然，他從沒去找過那名老師傾訴；但這份溫暖感，還是深深烙在B心裡。所以，如果不是有了令自己都害怕的念頭：「我想消失」，他也不會前來面談。

如果我們的腦袋沒經驗過這個過程：情緒（如悲傷）出現時可以被人安撫，或是難過隨著被人陪伴而暫時平息，心情也慢慢平伏，那麼這份悲傷是觸不得的、是令人心生恐懼的、甚至是不安全的。

很想付出　很想為別人服務

B和大他兩歲的哥哥比較親近，他記得，從小就跟哥哥出入，自己沒朋友，整個學期在

學校都不說話。他不斷幫哥哥做事，以換取哥哥帶他一同外出。他就是很想靠近哥哥，會不斷為哥哥做這做那。

他覺得好像黏著哥哥比較安心。那是實在的，因為同校的哥哥在B被捉弄的時候，能夠挺身而出保護他。他那時候不知道，那叫做「安全感」。

◎

我問B：「如果那份不安全感可以說話，它會說甚麼？」

「人生那麼無常，幹麼要努力啊？我們那麼用心經營的一切，最後都灰飛煙滅。」

那份蒼涼和悲苦，沉重得令人難以承受。一個十歲的小孩，就帶著這樣的不安，跌蕩地生活了四十年，如今在一個成人的身軀裡，仍然悲傷地縮在一角，直至今天，才終於被釋放和看見。

然後，面對自身對無常所產生的焦慮、無意義感，才與B對準了焦距。

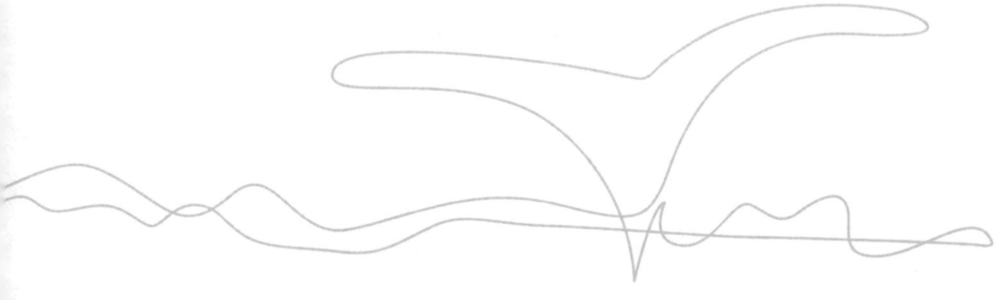

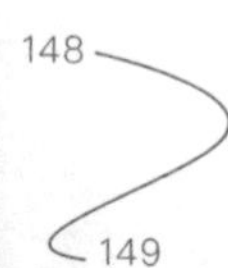

自我犧牲 給出難以承受的愛

這種背負著痛苦的「自我犧牲」，相應的力量並不輕盈，給出的是充滿壓力的、沉重得難以承受的愛。因此，B有時表達他的關愛時，會跟孩子說出「你千萬不能做這個或去那兒，那太危險了；如果你有甚麼不測，我把命賠上也救不了你！」這種激烈的說話。

因此，孩子們長大後，會不自覺地與B保持距離，因為接收的人會自然地感到那份愛的沉重，以及背後象徵著爸爸的自我價值和苦難。（當然，這只是其中一個「自我犧牲」可能呈現的模式；但它都有這種「把我的焦點放到外面，感覺比較良好」的作用。上文章節2.1，亦談到「自我犧牲」另一個面向）

想一想，如何既不帶壓力地去愛人，並看見做人的「虛無」。

（有些人認為把焦點落在自己——是自私的，甚至會「阻礙別人」、「羞恥」等，這裡其實有文化元素，例如我從日本個案裡面，感受到不同程度的「談自己對另一個人的感受，就會令人產生負擔，因而是不容許的」）

5.2
我有特權
——繞不出自我中心

有些人會相信「我有特權」、「我比他人優越」，
作為有補償作用的應付壓力方式，
以此保衛內心的城堡，
小心翼翼不讓別人看見真正的自己。

家族盛產各有專長的律師，A從小就知道自己要像父親一樣讀法律，最好當個出色的大律師，否則事務律師或相關的公司律師也是出路。家裡父親的地位崇高，也是A心中的英雄。

英雄不一定是無瑕的——A的爸爸很成功，卻很不會接受失敗。他努力培養A做自己的翻版，為了複製「精於打網球」，自小A就被安排上私人教練課，後來，A真的當上精英球員，甚至代表國家出賽。可是A記得，當他打贏父親時，父親大發脾氣，把球拍丟到地上，說自己的球拍太爛，讓他不能發揮云云，那年A十二歲。

「我覺得很內疚，同時很驕傲！」A說。

父母灌輸「你是與別不同的」

當A感到不受同學歡迎、在學校被冷待時，他回家跟爸爸訴說，爸爸教他：「你不必跟他們計較，他們成績都沒你好，對不對？他們不會像你那麼會打網球，對不對？」

小A說：「對！我是天才，他們都不配做我朋友。」

有些人說起話來理直氣壯、自信滿滿，甚至有點驕傲自大、不可一世，但每件事都只是試一下，然後很快放棄。有些人則客客氣氣、表現內斂，可是認識久了，會聽見他們經常提出特別要求，喜歡置自己於一般規矩之外。

這些情況如果走到極端，就是自戀型人格障礙患者的徵狀：他們總是自我為中心、欠缺同理心、覺得自己應該被特別對待等。可是我下文想談的不是自戀型人格障礙，而是程度較輕的、一般人也有出現的狀況——

有些人會相信「我是特別的，我應當被特別優待／照顧」、「我比他人優越」、「我有特權」等，作為有補償作用的應付壓力方式，以此保衛內心的城堡，小心翼翼不讓別人看見真正的自己。

要求優待　不願承認脆弱

A記得，爸爸輸了那場網球賽後所做的事：「他打爛了球拍，說他的球拍太差，累他輸波，然後他短暫離開了。我和弟弟在會所找到他時，他正和一個侍應爭執，原來他想去吃晚飯的餐廳滿了。」A記得爸爸咄咄逼人的氣勢，餐廳經理出來道歉，他堅持他是VIP，最後成功訂了枱。

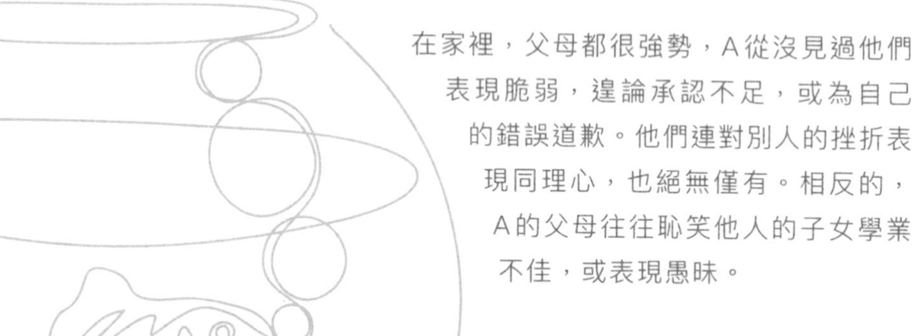

在家裡，父母都很強勢，A從沒見過他們表現脆弱，遑論承認不足，或為自己的錯誤道歉。他們連對別人的挫折表現同理心，也絕無僅有。相反的，A的父母往往恥笑他人的子女學業不佳，或表現愚昧。

爸爸常讚A為「天才」，A深深地相信。可是，二十四小時做天才是不現實的，A只好把不是天才的部分都收進櫃子裡去，但凡做不到的東西，就乾脆不做；因為「沒有任何失敗是可以接受的」。A知道，父母不會同情弱

者，所以他自小習慣躲起來哭；為了得到父母的愛，A很努力扮演父母想要的孩子。

成長期接收單一的價值觀：成就

A喜歡藝術，很會做陶瓷、畫畫、彈琴，但家裡有聲音說：「玩玩而已，不能當飯吃，如果你書念不好，這些就別學了。」書的確念得不好——A並不喜歡讀法律，他是被迫去念的，明知自己不喜歡，卻沒辦法。他想像不到反抗父親的意願，特別是家族的專業榮耀。

直至……A考不進法律系。

爸爸因此沒跟他談話接近三個月，媽媽不斷為A找外國的法律課程，終於，A啟程去澳洲念法律去。

這件事讓A大受打擊。

有些人的成長經驗中，「成就」是唯一確定一個人價值的標準，因此他們花光力氣去追求成就——這唯一能夠依賴的東西。他們可能小時候讀書很棒，慢慢實踐家裡要求的「成就」，可是一旦挫折降臨到他們的「成就」範疇，他們就會不堪一擊。

「一旦沒有成功，沒有合乎他心目中的標準，爸爸就不理我了。」A尊敬的英雄，傳遞了這個信息給他。

若他們內心再沒有其他東西來保有自尊感，他們會把挫折怪罪他人，並回到尋求「優待」的空間，去安撫自己內心的無價值感。「我到哪裡人家都當我是上賓」，當爸爸帶A出席各個場合，他感到自己很「重要」。

情感需要 不被滿足

無價值感，也可能滋生自一個人所受到的寵愛——成長經驗告訴他，「被寵愛」、「被疼惜」就是給予特權；**他們真正的情感需要，往往不被看見和滿足，卻只得到很多額外的優待**。而他們必須緊緊抓著這些「優待」，以告訴自己「我是有價值的」或「我是重要的」或「我是被愛的」。

A記得小時候想念爸媽，但他們老是不在家，他只好捉著婆婆陪做功課……媽媽常說，A像極爸爸，自小說起話來已經像個大人，而且很會命令別人，媽媽也覺得A太黏人。

A記得媽媽小時候拒絕自己的擁抱，也不怎樣和A相處，可是A要求買甚麼，媽媽都有求必應，後來這就成為媽媽說的：「我們怎樣沒對你好？你幹麼這樣沒心肝？」

A的媽媽用物質來愛她的兒子，但拒絕情感連繫，也吝嗇身體的接觸和溫柔的言語。A經常在家大發脾氣，媽媽重複用物質來寵溺他。獲得物質回饋，A會被滿足一陣子，然後，重複跌入空虛不安的深淵。

沒有人好好明白A的困惑，他說從來沒有好朋友，成長沒有同伴的孤單感，他靠「我比你們優秀，不和你計較」來面對。在家沒得到關注的空虛，他用「媽媽買很多東西給我」來自我安慰。由於父母重視社會地位和個人表現，加上A沒有其他社交圈子，**他的有限經驗一再確定他的想法：「如果你不優秀，就是沒價值的。」**

以「限制」自己來追求父母的愛

當他沉醉於藝術，即使獲得老師的稱讚，但A的家人從沒關注或欣賞、肯定他這方面的發展，遑論看見他的熱情和個人特質，然後，他又被催促去打網球、參加比賽。**為了得到家人的重視，A自然地放下自己喜歡的事。結果，他並沒有以其優勢建立起甚麼，來平衡自我的價值感。**

A幾乎沒感受過被明白，也同時不明白自己；當他來到治療室時，被我同理了、看見了，他會經常淚流滿面。A看見自己所受的苦，哭過以後，他能學會以父母以外的方式去照顧自己嗎？非常困難。

只知道一種「人生觀」只能重複

在治療的關係中，雖然他透過我的反饋，愈來愈能夠明白自己的感受。可是，同時要他真心相信，他的價值不在於他的「收入」或「成就」是很困難的，畢竟我的服務是收費的……他因著這份不安全感，不斷提出要求，要我給予他「與別不同」的待遇……

要不重複用以往的方法去應付壓力或危機，必先看見這個方法已經不合用。可是，未離開過海洋的魚兒，難以知道有海之外，也有陸地。**A只知道一種生存方式，並且因為生活圈子的局限，而沒法看見人生的其他可能性——欠缺彈性的心理狀態，令他只能重複自己。**

當我呈現他那「我有特權」的壓力應付機制時，他仍需要很多時間去消化——這的確是一個「方式」去理解事情和保有自尊，而不是「事情的真相」(Truth)。

真相是——不需要是英雄或天才，我們也是有價值的，也值得被愛。

第五圈
你也應該被困

第六圈

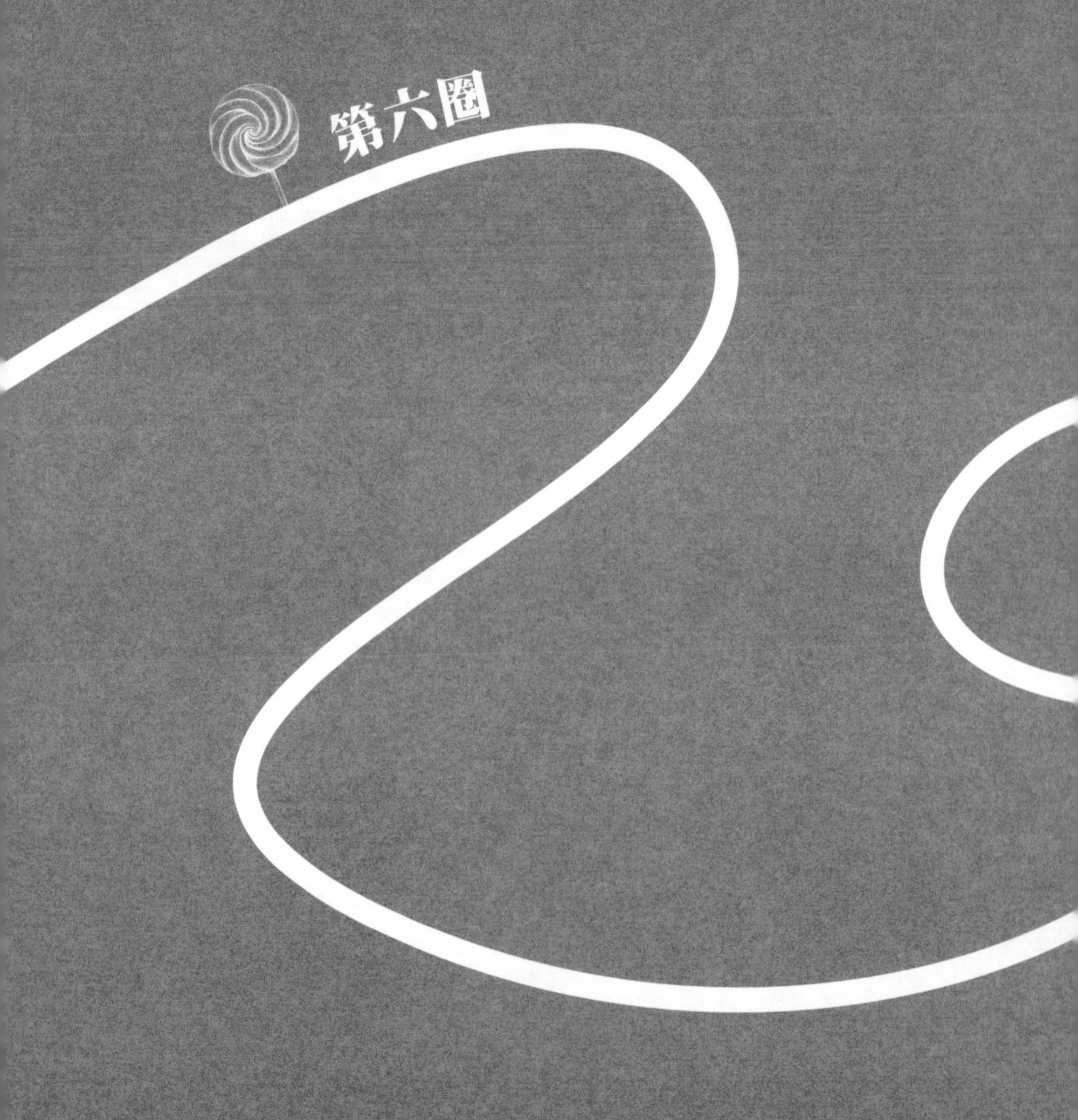

三步繞出圈圈　走向自療

6.1
我是不斷進化的生物

認識自己，
感覺自己的感受和需要，
然後好好照顧自己，
就是自愛。

這是當臨床心理學家多年以來，
我的個案教會我的。

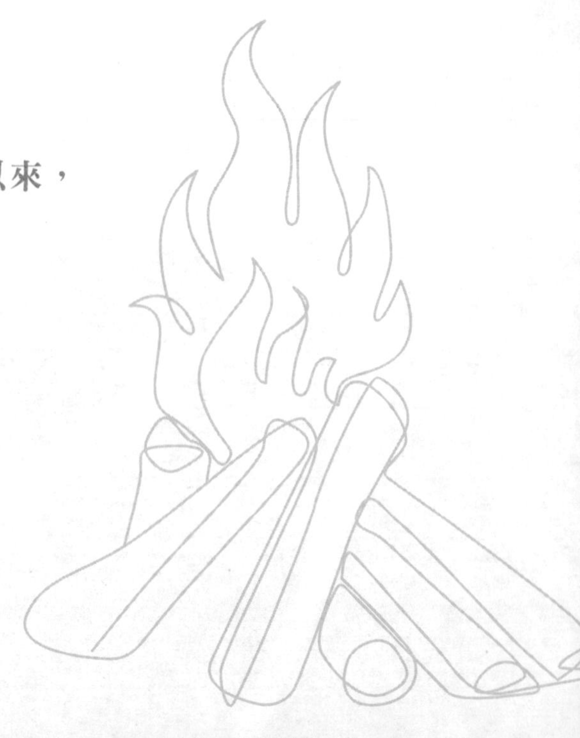

我在香港以英語教的第一個靜觀認知治療，小組大概二十人，當中只有一個香港人，其他來自五湖四海。聽不同口音的英語實在吃力，想像一下泰國和英國聲波混合了，而印度和意大利的嗓音在打架，小組分享時，我必須打醒精神聆聽，並錄起課堂回家細聽，與督導回顧教學。

我們那麼不同　又那麼相似

「很有趣，我們每個人那麼不同，同時又那麼相似。我們很多時都有相同的感受。」八周過去了，一個來自英國的學生在最後一課分享說。

我深受感動，繃緊的情緒與「導師」的責任在這一刻釋放，也覺得事實的確如此——**我們當然從很多方面都非常不同，但核心需要無異；我們既是教授者，又是同行者；我們既是孤單的，同時也是連繫的。**

讓我再說一次：認識自己，感覺自己的感受和需要，然後好好照顧自己，就是自愛。

我深信這是放諸四海皆準的真理。我的個案來自不同的文化背景、不同族裔。那場英語靜觀課在2018年，當時我邊帶著我的焦慮感，邊靜觀呼吸。直至此刻，我還在孜孜不倦地學習中。

學校沒有一科叫「認識自己」

從小到大，我們上學讀書，都沒有一科叫做「認識自己」：認識我的情緒、認識我的身體感覺和情緒的關係、認識我的自由意志、認知道我時時刻刻都在做一些決定。

「認識我」並不止是我的關係，或他人對我的看法。

對自己的認識，是從很多外來的回饋——稱讚、責備、獎勵、懲罰、事情的演變和後果、人家給我們的「名字」、別人對我們的感謝或不理睬等等——慢慢形成的。**這個「形成」過程有很多隱藏成分**，我們有時並不完全知道，其實一點都不奇怪。

況且，在不同國度、文化、社會，不同時期，不同家庭，同樣的經驗在不同人身上，都能展現不一樣的東西。我們必須擁有廣闊胸襟和視野，才能站在中立的位置上觀看自己。不一定要定義優點或缺點，因為幾乎所有特質在不同人身上，在不同時候、空間，都會帶來好處和壞處。

學會看見和接納自己，才有自愛，或可能變成更好的自己。而在我眼中，這個學習是一個**永遠的進行式**。

繞過的圈圈都有用

我們必須認知，自我是一個流動的概念。如果我們對自己有足夠的好奇心，會把自己當成一個會不斷變化、成長的「生物」來看待，我們才能為意到自己在繞著圈圈，就能更充分為照顧自己這件事負責。

我希望，前文五個章節的故事，能為你帶來感受與反思，讓你開始看見多一點的自己。繞過的圈圈都是有用的，因為那可能是我們重複使用以應付壓力的機制，當覺察到如今這個機制不再有效，或帶來傷害比功用多，我們自然會開始走另一條路。

我邀請你，將時間和心思放在自己身上，不要吝嗇，也不要害怕接近自己、認識自己各部分，培養對自己有一份不加批判的覺察，這是你可以送給自己最好的禮物。這會在你遇上人生逆境或挫折時，特別有幫助。

以下的章節，是我在治療工作中總結出來最需要認知的知識，普遍適用於不同人身上，希望對你實際地照顧好自己，提供一點指引和協助。

第一步 拂去塵埃

準備走出圈圈：學習應付常見的種種困擾，我們才能夠慢慢騰出內在的空間，儲夠力氣試圖走出去？

如果我們日夜被不健康的人際關係所苦、或受困於擔憂之中，我們不會有力氣去走不同的路；我們先要拂去這些塵埃，而且開始理解和建立自尊感，才能減少被外在環境消耗，慢慢把船頭轉到走出圈圈的方向。

6.2 管理擔憂

被憂慮纏擾，
我們難以活在當下，
甚至難以在日常生活集中精神
——可以先在思海騰出空間，
嘗試與擔憂保持距離。

過分憂慮的人，可嘗試以下六個方法，與擔憂保持一些距離：

(1) 訂立「擔憂時間」

首先我們需要知道：我們並沒有對自己的想法有100%的控制。(任何人也試過「我不想掛念一個人，但就是老在想他／她」吧！)那麼，我們不必對於自己持續擔憂有太多的自責，而是明白到，擔憂是會自己找上門來的。

不過，我們可以管理擔憂。**如果你感到日夜為擔憂所苦，邀請你試試實行「擔憂時間」**：每天訂立一個專屬的「擔憂時間」，例如每天的3—4PM。若在此之前冒起擔憂想法(「如果……我怎麼辦？」)，就跟自己說：「留待3—4PM再想吧。」過了擔憂時間之後，便「留待明天的3—4PM再想吧。」

當3—4PM的擔憂時間到來時，就試試把擔憂的想法統統記錄在紙上。這樣實行幾天，很多時我的個案已經發現，自己擔憂的都是「重重複複」那幾項，但心情就因為管理了擔憂而變得較為舒暢。

(2) 分辨有用和沒用的擔憂

美國認知治療權威Dr. Robert. L. Leahy教授，提出應對擔憂的一個方法很好用；那方法與一些信仰基督教或天主教的人熟悉的「寧靜禱文」(*Serenity Prayer*)異曲同工，儼然落實這個禱文內容。

先把自己的擔憂想法記下來，然後問問自己，哪些是有用的擔憂，哪些是無用的？**一個擔憂的想法能帶來短期的解決辦法，那是「有用」**

的，我們接下來專注於這個解決辦法就行了。相反，它就是「無用」的，徒令我們焦慮不安。之後想想如何好好管理無用的擔憂，以及對我們生活的影響。舉例說：

「如果我考試不及格，怎麼辦？」

這個擔憂對一些人來說有用，因為它帶來「那麼我今天還是好好念書」的結果，然後專注「如何好好念書」，那原本的擔憂就會慢慢減少影響力，因為我們已經在做可以做的實事。又舉例說：

「如果明天的醫生報告證實我患上癌症，怎麼辦？」

這個擔憂是無用的，因為我是否思考它，都沒有帶來甚麼幫助，都不會改變這個報告的結果。於是，我下一步就要減少被這想法所困擾的時間。當然，如果明天就出報告還好，但有些擔憂不是「明天就知道答案」的，例如「我女兒的飲食失調會不會出國後復發？」

這想法並未能為家長帶來解決方法，如果它不斷出現，則可以利用(1)去管理它。透過練習，我們就能愈來愈快認出「無用的擔憂」，也更習慣用這方法「管理」它，整體的生活質素就可提升。

(3) 了解自己對擔憂的假設

(1)和(2)可能對大部分人有用，但對一些人卻無效，因此我們需要(3)了解自己對擔憂的假設。有些長期處於擔憂狀態的人，**會對擔憂產生一種近乎依附(Attachment)的情緒——他們假設了「只有不斷去思考任何可能，不斷在這種擔憂狀態之中，我才是安全的。」**這時候，他們未必覺察到，自己心底有那麼多的不安全感，以致練就出這習慣，「擔憂」是那麼熟悉，就像空氣一樣。他們通常有這些信念：

「我必須不斷思考，擔憂是有價值的，因為它讓我準備充足。」

「不斷擔憂是正常的，因為我沒錢 / 沒男朋友 / 沒老婆 / 沒事業……」

他們並不自覺，但身心已習慣因焦慮而帶來的緊張感——經常肌肉繃緊、縮起肩膀，或眉頭深鎖。如果你跟他說「來，先放下，我們去玩玩」，他會告訴你「我沒心情」或「遲一點再算」他們更習慣和自己的焦慮為伍。

用擔憂來逃避身體反應

面臨這種情況的人，並沒興趣做(1)和(2)，因為他們心底認為他們「必須擔憂」。我們需要先讓他理解自己和擔憂的關係，看見自己這傾向，例如甚麼時候開始慣性擔憂，並認為必須如此？他們很可能追溯到非常年幼的時候，可能這種思考模式幫助過他們，讓他們度過難關，最終腦袋慣性地預期：負面的經驗會發生在自己身上。

很多時候，依附焦慮思想的人，是在用擔憂來逃避焦慮經驗——特別是焦慮的身體感覺，包含心跳加快、呼吸急速、胃痛、肌肉痛、頭痛、流汗、顫抖等等不適。他們往往以無意識地轉移專注力去「思考」上面，以擔保來避免感受這些焦慮的身體感覺。吊詭的是，正正是這些擔憂的思想，延長了焦慮的身體感覺，形成惡性循環。

因此，在理解(3)自己對擔憂的假設後，這些人需要回到身體感覺的練習，以協助他們和身體焦慮的感覺共存，例如和人述說焦慮的感覺而不是想法、習慣做運動、練習靜觀。

(4) 接納自己有擔憂

接納自己有擔憂，不等於認同那些擔憂，而是單純知道它的存在，讓自己如其所是接納自己有(可能是無用的)擔憂。當我們能接納自己擔憂的狀態，它的力量就會減弱，練習靜觀對做到這一點很有幫助。

有些人有不切實際的想法：人生得鏟除所有的擔憂才能幸福，或者才是智者，或是才能過愉快的人生等。其實所有情緒都有其功能，我們不必拒絕擔憂，但可以與之和平共處就好。因為愈努力去逃避或拒絕的，就愈困擾我們，擔憂/焦慮也一樣。

另一些人一旦想到自己「可能」會緊張、焦慮或恐懼，便「即時」緊張、焦慮或恐懼起來。未來還未到來，今天卻已在負未來的債。他們「害怕」擔憂，擠走了很多活在當下的快樂而不自知。

因此，和焦慮感並存，並不等同被焦慮淹沒。

練習「我有一個想法」

學習接納自己的擔憂，其中一個很管用的方法叫做「我有一個想法」。你也可以試試這個實驗，在心裡想想A和B句子：

A「死啦，聽日實遲到！」

B「我現在有一個想法，這個想法是『死啦，聽日實遲到！』」

是***A***讓人緊張一點，還是***B***呢？我在治療室見的大部分人都會答***A***，因為***B***讓我們更加覺察到「死啦，聽日實遲到！」是我此時此刻的想法而已。

當擔憂來時，練習「我有一個想法」的句式，會幫助我們建立一些心理距離，以便應用(1)、(2)和(4)。

(5)提升自己對擔憂「思想」的覺察

很多不知不覺的時候，我們和自己的思想糾纏不清。想法如何被觸發、甚麼時候出現，往往決定於我們以往的經驗。相信你也試過，回到一些熟悉的環境中，腦袋會自然出現和那個熟悉的刺激體(Stimuli)相關的想法。例如我被狗咬過一次，當再見到和跟那隻狗同品種的狗時，我的身體突然緊張起來，肌肉繃緊、收縮，即時「死啦！」，然後恐懼的感覺膨脹起來。

那句「死啦」伴隨所有身體感覺而來，半秒之間我就相信我真的面對危險，因為我的腦袋為了保護我，讓我有所戒備。當然，若冷靜下來，看清楚我面前的「那隻狗」，發現牠並沒有想咬我的意思，但在我即時的反應之中，我相信了自己的身體和思想。

另一個時候，舉例說，一個同事出賣過我，當再遇見他時，我自動彈出的想法是：「他在說謊！他心懷不軌！」我們很大機會相信這個直覺，因為經驗告訴我他真的不可靠，並傷害了我。

我們的腦袋，由我們的經驗所塑造，因此它不管我們是不是意識到或記得這些經驗，它都會以此為憑去預期我們的需要，包括釋放甚麼賀爾蒙、血液流向四肢抑或其他地方、新陳代謝的速度等等。

心裡有空間 分開想法與事實

而提升對擔憂「思想」的覺察，就是注意到我們這些想法是想法，而不一定是事實。當我明白自己的身體反應和感受，然後有空間看清楚面前的那隻狗，雖然和咬我的狗是相同品種，但表現友善得多，我的腦袋就開始形成這新經驗：「這種狗也可以是友善的。」我未必會立即不再害怕這種狗，但這些經驗會更新腦袋，改變我的「自動反應」，讓那個「整個人跳起」的過度反應，慢慢減緩。

因此，我們必須在內心培養出這一份空間，才能更有效地回應焦慮，以及決定長久下去如何照顧自己。我非常推介靜觀，因為我個人深感其用，特別培養內心空間這方面。(有興趣練習，可以到我的YouTube頻道 Mindfully，看看免費的靜觀指導)

要達到培養對自己思想的覺察，不止有靜觀一法。我見過的個案中，有些因為在諮商中經常被引導去覺察自己的傾向和想法，而開始愈來愈少自動假設了想法等同事實。我也很喜歡邀請個案案主寫日記，記下一天的感受——讓擔憂不再纏繞我們，而是跟它保持健康的距離。

有關第(5)，我建議你讀讀相關的章節6.8。

(6) 專注提升愉快自在的經驗

以上(1)至(5)都是針對焦慮而做的，(6)專注提升愉快自在的經驗則是一個平衡，特別是對於一些深信擔憂有其價值的人來說，專注去製造愉快而自在(Authentic)的經驗非常重要，讓他有把神經放鬆下來的時刻，滋養和維持他內在平靜的空間，他才有力量去做(4)和(5)的練習。這不是說逃避焦慮，而是我們需要一個假期好好休息。

這裡要解釋清楚逃避和休息的分別。逃避目的是「我走了不再回來」，所有成癮問題都有這個作用；而休息則是為走更遠的路，可能是為了回去面對那個問題，例如焦慮。而專注提升愉快自在的經驗，不是要逃離焦慮感，而是讓身體和心情都能有點放鬆的空間，我們才可以要求自己嘗試(4)接納自己的擔憂和(5)提升對擔憂的覺察。

對於一部分人來說，製造愉快自在的空間(譬如運動)本身，可以協助抗壓，抗衡持續焦慮的身體感覺或擔憂思想。

6.3
認清不健康的親密關係

陷於一段不健康的關係，
很難看見自己、明白自己，不用說照顧自己。

要好好照顧自己，
認清、脫離或改變不健康的關係，
是當中重要一環。

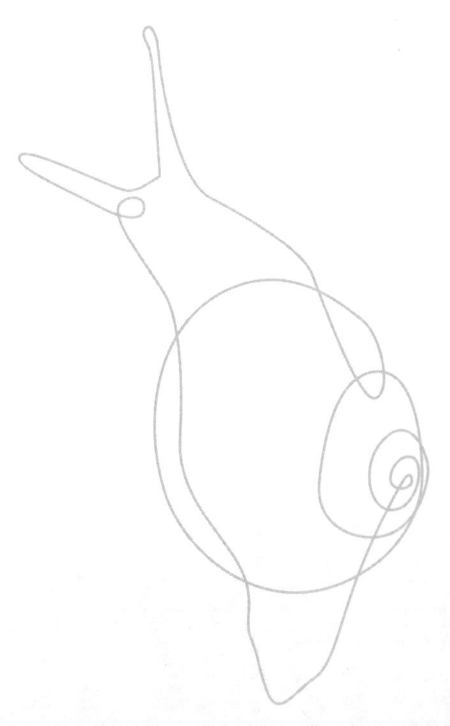

「我想我可能是太敏感了……」

「我明白自己也有責任……」

我發現，心每次她談起她的先生，都有一些開場白。

心打扮精緻，身形很瘦削，有點弱不禁風，她的精神科醫生說她沒甚麼事，但可以找心理學家談談，因為她近來睡不好——婚後沒有工作，也沒有子女，明明談不上有甚麼大壓力事件讓心睡不好。

心拋下幾個名字，都是城中有名的家族成員，「都是我夫家的好朋友，那你知道我家的背景了」，彷彿那幾個名字就交代了她自己和整個家庭。她把話題帶到家庭，我就仔細問多一點，她答得很小心，就像說得具體會有危險似的……我有點迷茫，不明白她來面談的目的是為甚麼。

「我應該很快樂才對」

她說她也不知道自己怎麼了，也許是生了病，總是想掉眼淚；明明生活很美好，先生都不管她，又不愁衣食，應該很快樂才對。

「先生真的不管你嗎？」我問。

◎

陷於一段不健康的關係，很難看見自己、明白自己，不用說照顧自己。不健康的親密關係，有以下的特徵：

(1) 不斷重複的循環：被虐者常在兩個極端迴盪——非常快樂和非常痛苦，同時覺得無法改變，沒法離開。例如，伴侶對你好的時候，會送禮物和花，很甜蜜地稱呼你，但突然會變得嚴厲和可怕，對你做肢體或性的虐待。這個循環好像永不停止。

(2) 關係裡的權力不均：覺得被伴侶操控但無法逃避。被虐者會假設如果離開了伴侶，自己會更糟糕，所以不惜代價也必須依存於對方身上；經常為自己的委屈自圓其說，例如「其實讓他決定所有東西也很自在」、「其實我也不是那麼喜歡xx，就讓他好了」。

(3) 在伴侶面前，經常如履薄冰：覺得要很努力照顧對方的感受。經常擔驚受怕，覺得一不小心就會激怒對方，慢慢感到沒法坦誠地生活，遑論表達自己的感受，要用很多謊言來維持表面的和諧。

(4) 覺得如為自己說話、爭取一些甚麼，會帶來懲罰：有些親密關係以恐嚇維持，例如一方用嚇人(Intimidating)的姿態來相處，可能報以言語暴力、不斷怪責，或引發對方內疚感(Guilt-inducing)的言辭；尤其當另一方嘗試坦白，往往被更嚴厲地責怪或懲罰。

創傷經驗取代了自我

由(1)至(4)，**除了看到身體或精神虐待、言語暴力、互相依存(Co-dependence)、被操控、沒法互信或尊重等，這些情況可能慢慢形成「創傷依附」，即一個人無意識地重複自己的創傷經驗，以獲得安全感，幾乎取替了他的自我**。這在曾受創傷的人身上尤其明顯，他們一再戀上會霸凌他的人，或和具操控性的人在一起。**由於孩提時期與主要照顧者的依附關係，會為我們未來人生中所有的關係提供藍圖，是我們未來與人連結的參考基礎；而兒時創傷，讓他們探測人際關係的雷達損壞了……**

子女很自然與父母產生連結，
創傷依附也是一種情感依附，
通常由一連串重複的虐待與正面
獎勵而形成，當中貶抑、慈愛交叉發
生，使「被虐」經驗變得很難理解，並
輻射到孩子的未來。

父母令孩子扭曲 如何理解親密

(1)訊息矛盾。年紀很小的時候，孩子必須依賴父母才能安全成長，父母會提供基本需要，如餵食和擁抱等，這些行為或多或少會為孩子帶來溫暖和被愛的經驗。可是，父母可能在執行這些行為的時候，給予負面的信息，例如表現非常不願意、嘴裡不斷責備孩子、覺得孩子是負累的表情等等。語言和行為彼此非常矛盾，以致孩子對親密關係的解讀也充滿矛盾感。

(2)歸咎。父母一般擁有決定「甚麼是好、甚麼是壞」的話語權，孩子通常都是被責怪的一方。如果父母在身體、心理、性方面虐待孩子，並把責任歸咎於孩子，孩子就會建立一種「分裂自我」的防禦機制。「分裂自我」是心理學用語，指孩子將自我一分為二：「被虐」與「有希望」兩部分，一部分的自我被啟動時，另一部分則被壓抑——這部分沒法接收和處理相關訊息。

因此，孩子自然難以把他的「有時被虐待、有時被關愛」的經驗整合起來，於是形成以下三種情形：

A. 難以從已有資訊中總結「我」的狀況（例如我是被愛的，同時我是不安全的…）；

B. 在言語上和理性上減省訊息（例如否定父母的缺失，並為他們的行為辯護）；

C. 心理上變得麻木、減少危機感，即使面對的是非常極端的傷害。

父母很多控制行為，都可以用「愛」、「我為你好」來演繹，以作遮掩。有些父母把子女控制在股掌之間，甚至視孩子為自己的延伸。極端的話，孩子會感到他們完全不應該有與父或母不同的、或不被父母接納的想法和情緒。

放棄自身感受 只相信權威

因愛之名，孩子為適應父母的行為，必須放棄自己的直接感受，以換取生存的可能。以一個極端的例子說明，父親性侵女兒，女兒直接感受可能是複雜的，包括痛楚、被寵（如口頭讚美、給予禮物）、難受、被重視（獲得特別待遇）等，或後來可能出現的羞恥，沒有自立能力的孩子可能傾向記得父親對她的愛護和照顧，並相信他的話：「我愛你才這樣做。」這樣，**孩子才能維持內在平衡，活得過去**。

因為孩子經年練習去忽略自己的部分感受，相信父母的權威，或為施虐者自圓其說，結果他們長大後的雷達就沒法分析矛盾的信息，以有效分別到底哪些人可信。

(3)羞恥感凌駕其他情感。親子關係當中，孩子處於很脆弱的位置，因為他們必須依賴父母，自然會聽信父母的話。即使被虐、被不合理對待，他們感到憤怒，但憤怒很可能被傷心、難過、痛楚、羞恥等感覺所掩蓋，因為相信「有權者是合理的」，比較容易生存；認為「自己不夠好」，內心的羞恥感才會合理，「只要我下次別刺激他就沒事了」。

當然，面對以上的情況，也有些人不完全被傷心、羞恥感等掩蓋憤怒而活，他們成長時帶著很多憤怒，或很早離家出走、或做出很多憤怒驅使的行為；那些行為不一定是壞的，也可以是有價值的，譬如為弱勢社群爭取權利；他們也可能建立出源自生氣的保護模式，以與人保持安全距離。

辨別「親密與自我」的雷達壞掉

如果孩子的憤怒，真的被羞恥感所掩蓋，他長大後可能覺得離開父母是一種背叛，或變成自己想成為的人是不對的，覺得自己是羞恥的或不完整的，最後活在矛盾中，或是爭取回到父母認同和准許的世界。

他們常努力討好父母，但即使年年月月過去，仍深深覺得挫敗和受傷。他們也可能覺得離開並不安全，因此留在創傷依附關係中，至少可以預期會發生甚麼事，即使那不是好事。

(4)為錯誤辯護。另一虐待關係中常見的防禦機制，就是道德防禦——學會用父母的眼睛來看待事件(爸媽打你是因為你亂發脾氣！)，這伴隨父母的言語暴力而來。當父母為自己的虐待或過激行為辯護，孩子就會相信，並建立起一種錯誤的自我形象：「一切都是我的錯」、「我就是不夠好」。

被虐的孩子(即使已變成大人)也可能反過來為父母的錯誤或限制而辯護，無私地成為父母的代言人，因為他們在成長當中，欠缺建立自我的過程，以致他們只能繼續用父母的眼睛來看事情，難以看見人性更複雜的一面。而另一些較嚴重的情況，有些孩子會形成分裂的自我，例如解離性身分障礙症(Dissociative Identity Disorder)患者。

無從建立自我　回到依附關係

創傷依附，可以在被虐關係結束後仍持續經年。當事人可能會想念施

虐者，並想回到那種關係，因為在無邊際的世界，他不知道「自我」在哪裡。

「先生真的不管你嗎？」我問。

「我知道我說話很不小心......」、「是我不懂得......」心又是不著邊際地回答我。我問不出所以然，只好指出我的觀察：「你好像每次談起先生都有點緊張，而且小心翼翼，好像你做錯事一樣。」

她突然熱淚盈眶。

「你有甚麼嗜好？」

「我原本喜歡跳探戈，但先生有點意見......」她在美國名校讀工商管理，家裡小康，大學時認識了現時的丈夫，大家很快就結婚，她亦嫁雞隨雞地回到香港。我問她是不是沒工作就嫁了？她流著眼淚點點頭。她很喜歡孩子，但先生不喜歡，她就結婚十年也沒生小孩。

「我很愛日本花道，以前有教人插花，但家翁不喜歡我拋頭露面......」

「那你有沒有朋友？」

「不知道甚麼時候開始，我就沒朋友了。」

「有沒有喜歡的運動？」她搖頭。

我問她，那麼現在的生活是不是很枯燥？她眼淚流得更凶了，「有想過輕生。」

「你太敏感了——」

有天，她發現先生和另一個女人甜言蜜語——

「你太敏感了，這算哪門子的甜言蜜語！她是我的生意伙伴，哄人的說話你懂不懂？」

「還有你幹麼查我手機？你不信任我，枉我一直那麼信任你，工作那麼忙都盡量回來陪你，你卻來查我手機？你老是出門四處去，我又忙於工作，搞不好你才出軌啊！」

心懷疑起自己來了，是不是真的太敏感呢？

「我知道我不夠體貼，不懂社交奉承的說話，但以短訊讚美對方今天的衣著，真的是合情理的嗎？」她問。

「是啊，這真有點奇特，不像談公事。」

心的坦白，被鼓勵了一點，她邊流眼淚邊說：

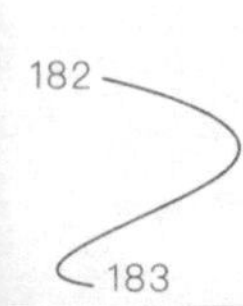

「晚上如果沒陪公婆吃晚飯，他會追問我去了哪兒、跟誰在一起。」

「有幾次在健身室時，保鏢會突然出現，說是他派來『保護』我的。他說怕有怪人借故親近我，所以我就不再去健身了。」

「我在香港的兒時好友，他一直不怎麼喜歡，慢慢地我也疏遠了她們……」

按著對方的心情過活

我接著問她：「你覺得必須照顧先生的心情來過活，是嗎？」

「你覺得一不小心，他就會吃醋，然後跟你說『你知道我關心你才這麼生氣』是嗎？」

「你跟他生活久了，覺得自信心愈來愈低，好像比讀大學時還脆弱？」

「你有時覺得好像記憶力也差了，因為先生總是說你記錯事情；他總是記得和你不一樣的事，而且說起來自信滿滿的，還一副『你怎麼可以記不住的』受傷模樣，讓你好生內疚？」

她難以置信地點頭，眼淚還在流。

「先生真的不管你嗎？想想那些不成文的教條，還有你不聽話時，他的冷淡對待(Cold Treatment)？」

心沒法好好訴說自己的故事，因為她自己也不明所以，便難以好好組織：她為甚麼不快樂，為甚麼那麼懷疑自己……是因為她先生經常Gaslighting(煤氣燈效應)。

煤氣燈效應　讓人自我懷疑

煤氣燈效應指長期以話術操縱伴侶，打壓對方的自尊，使之經常自我懷疑，並慢慢覺得自己不配被尊重。煤氣燈效應出自英國戲劇*Gas Light*(1938)，後來在1940年改編成電影《煤氣燈下》。片中男主角為了控制情人(女主角)，常常扭曲事實，誣詆她記錯事情，甚至質疑她說謊，久而久之，她開始經常自我質疑、自信心愈來愈低。戲中以忽明忽暗的煤氣燈光影，映襯女主角的心理狀態。

由於它不像肢體和性虐待明顯，一般比較難覺察，但卻是一種精神虐待。**被虐者未必有兒時創傷，但可能有討好他人的傾向。**心本身是比較順從(Submissive)、慣性討好他人的女生，她先生則是隱性自戀型人格障礙人士(Covert Narcissist)，透過操控太太來安撫心裡的不安全感，並需要很多讚賞以維持自尊。

我心想，醫生可能也懷疑心的丈夫在操控、甚至情緒虐待她，所以催促她來見我。

我跟心說：「醫生有指你其實有點抑鬱嗎？」心這才很不好意思地承認，醫生的確開了抗抑鬱藥給她，但她不想吃藥，所以希望心理治療幫到她。

人很多本能反應，是為了幫助自己解難，你可能聽過：遇上危機，人有「拼」和「逃」的應對機制。除了拼、逃，其實還有「凍結」和「奉承」兩種反應。

拼或逃之外　還有「凍結」和「奉承」

當你遭受虐待，或極端恐懼未來有機會再次被虐時，腦袋接收這份持續的壓力，會不斷提醒你的身體為危機做準備。如果你是一個小孩，而你不覺得自己可以安全逃脫，或停止施虐者的行為，凍結和奉承就是最好的選擇。

凍結，就是我們身體或腦袋當機，嚴重的話我們會跟自我解離；奉承就是既然必須承受，我就試試屈從並說服自己去討好對方，以換取較小的傷害。

而知道「自己被虐待」使人心理上太痛苦、太難以接受，我們會選擇性地記著關係中正面的部分，而忘掉或刻意不去記起其他，甚至努力為那些部分尋找解釋，去合理化施虐者的行為，也同時合理化自己「留下來」的選擇。被虐者有時會有一種虛假的控制感，他們會說服自己：我正在「幫助」伴侶改過自身，以無限的愛和忍耐去令他們變成更好的人，「因為他亦身不由己」。有些人開始相信施虐者需要自己，所以必須留在他身邊。因為一旦離開他，他就甚麼都不是。

有些人也會開始相信，自己其實需要施虐者，否則自己便沒甚價值，這令人更加困於這段關係當中，好像沒有了這段關係便是無價值的人。這種重複的被虐循環，漸漸鞏固人的無力感，令人覺得好像永遠沒法掙脫它。

「我明白，我自己也有責任……照顧自己。」

脫離或改變不健康的關係，是當中重要一環。

第二步 轉換思維

撐開思維的空間，擁抱自己內在已有的資源：當我們有了這些概念，就會開始看見人生是廣闊而多元的，有各種可能性，才能為自己走出圈圈起航。

6.4 建立獨立自尊

**自尊分為「依賴型」和「獨立型」，
前者由別人決定我如何看待自己，
後者則是我自己決定如何看待自己。**

自尊(Self-esteem)，自信(Self-confidence)，自我效能(Self-efficacy)，坊間常常混為一談。

其實，自尊是指一個人對自己的態度。我們可以沒有自信做一件／一些事，但仍然喜歡自己；我們可以覺得自己做某些工作的效能極佳，但厭惡自己。

自信心和自我效能是差不多的事，指一個人看待自己應付挑戰的能力。如果要仔細說明，就是自我效能比自信心較有方向性和更具體。

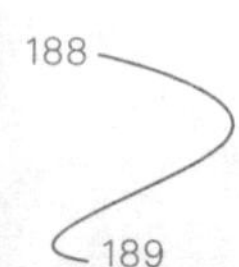

對自己的感覺 童年影響很大

我們對自己的感覺的形成，很大機會關乎於童年經驗。(超)幸運的人，得到父母無條件的愛，比較傾向「無論自己『表現』如何，都一樣喜歡自己」；不是說他們從不失望，或對自己毫無要求，而是不會把自己的「表現」視為自我恆常的一部分。

當然，我們的父母自己也未必感受過無條件的愛，他們可能有自己的局限，無法給予無條件的愛。**沒有感受過「無論我的表現如何，我都是被愛的」，使得他們的自尊也絕大部分和「表現」掛鉤**，即是繫於其作為、成就、獎項、成績、他人的評價。這樣的自尊感很不穩定，因為那要在乎很多外在的事物，伴隨而生是很多不安全感。

◎

成長的過程中，「被比較」在所難免，例如在學校裡被排名次、被分班，日後成為我們衡量自己價值的一個普遍方法：和人比較。

我很喜歡哈佛心理學教授Tal Ben-Shahar的分類，他把自尊(Self-esteem)分為「依賴型」(Dependent)、和「獨立型」(Independent)及「無條件型」(Unconditional)。「依賴型」由與人比較(relative to others)而來，靠比他人優勝以獲得自尊感，別人決定我如何看我，「獨立型」則決定於我們如何看自己，與「自己比較」。(先想想：在起跑線蹲好，等待鳴槍的兩個跑手，A在想自己有沒有進步，B則希望自己勝出比賽，即使跑得比過去慢，也無所謂，他們傾向哪種類型？)

依賴型自尊　獨立型自尊

可以想像，當我們的自尊感是依賴型，必須透過與人比較及別人的肯定才能獲得，我們心情上落可能很大；非常重視朋輩看法，也因而變得保守，較少冒險和創新，個人成長自然較小——最重視的是他人對自己的觀感和評價。

相反地，獨立自尊感使我們有比較穩定的情緒，我們會改變，但那改變是漸變的，而不會因為他人的批評和讚許而有即時的差距。我們也有更高的安全感，不怕犯錯或被批評，增加「心理彈性」。

同時，獨立型自尊讓我們不容易受外界所牽動，更容易擁有不加批判的覺察，心裡夠澄明，比較容易既尊重他人也不委屈自己。我們有內在動機力求進步和學習，那是因為我們想成為更好的人。我們會變得勇敢一點，願意嘗試，而且不會過分重視他人目光。長遠來說，個人的成長會較大——因為他較關心及重視自己的能力。

用例子來說明：我寫了一本書……

依賴型自尊說：「我的書比其他人的書更好！」

獨立型自尊說：「我認為我的書很好，或不夠好，或我想寫好一點，或我的書比之前的更好了！」這關係到另一個很重要的概念：**Growth Mindset(成長型思維模式)——我們相信自己是可以成長的、會改變的、能進步的，而不是「我就是一個XXX的人」。**

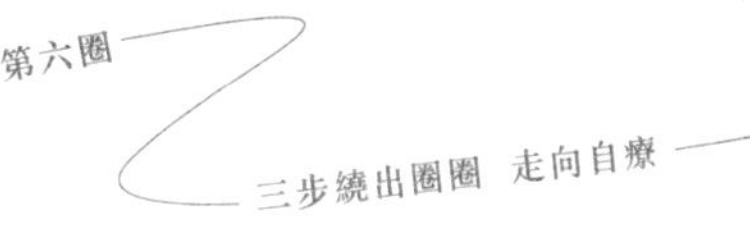

有成長心態 學會照顧自己

這本書全書都貫穿Growth Mindset這概念。我們可以學會更好地愛自己、照顧自己，而且那和愛他人的能力相關。我們必須擁抱這個概念，才能對個人成長抱有希望和熱情，願意擁抱生命。

我們都同時擁有依賴的和獨立的兩種自尊，這是自然的。我們出生時不會知道我們是誰，是透過經驗別人對我們的回饋，慢慢產生依賴的自尊感；成長中形成價值觀和自我要求，也會成為我們獨立的自尊。

一個人可以對自己頗有自信心，卻擁有低自尊感。有時候我面談的個案就是這樣的，他們一方面擁有高度成就，一方面時常不安，害怕明天失去這些肯定，自己就會一無所有。他們可能對自己的一些辦事能力很有信心，同時內心經常感羞恥、覺得自己不值得被愛。自尊感低的人，會傾向覺得自己不值得被讚賞，可能有冒名頂替症候群(見上文章節4.1)，當他人讚賞自己時，無法真心誠意地接受，不能充分感受那份滿足感，令自信心和能力有時不成正比。

要培養更高的獨立型自尊，需要我們把焦點轉向內，而不老是和他人比較，也不留在依據成就或才能去肯定個人價值的人身邊；例

如你可以和過去的自己比較，看見自己的進步；而且學習把讚賞的焦點從「成績」轉移去「態度」和「付出」方面。

學習以下的自我勉勵句：

「我為自己的堅持而自豪。」

「我喜歡我進步了。」

「我實在很努力，付出了很多。即使我沒有成功，我仍然對自己滿意。」

尋找能夠給予你相同的「看見」的人，他們會欣賞你的努力，不以成就定義他人，亦抱有興趣來認識你，以滋養這部分的自己。

改變、進步、欣賞自己，我們不必假手於人。

6.5
矛盾，使內心強大

成長，
就是學習看見人世間裡，
各種矛盾共存的實況。

我們需要內心夠強大，
才能擁抱這種覺察。

你有感受過「真希望世界簡單一點！」的心情嗎？

當我們煩惱時，例如「到底這個人可不可信？」、「到底我應不應該這樣做？」可能令我們會盼望「非黑即白」，事情可以「簡單」解決。這種盼望，同樣展現在每個人擁有的自我形象：「我是不夠好的」、「我是成熟的大人」、「我是樂於助人的」——由經驗告訴我們，關於「我是誰」的故事。

覺察二元思維的自我形象

我邀請你有所覺察，這些以二元思維寫成的「故事」，覺察這些自我形象，而不是立即相信它。

成長，就是學習看見人世間裡，各種矛盾共存的實況，這一點會令人不舒適。所以，我們需要內心夠強大，才能擁抱這一種覺察。

記得童話都分開「好人」與「壞人」，我們大部分人都是這樣成長過來的，就是會在心裡把東西分類，分為對和不對、好與不好。

我們的腦袋，基本也是透過分類來學習，累積資料，慢慢形成知識，因為這樣比較「節省資源」。想像一下，當家長向小孩指著椅，說「椅子」這個詞，孩子怎樣能看見另一張椅子時，不同顏色形狀也知道那是「椅子」？因為腦袋懂得組合資訊，由眼睛看見（視覺訊息：有一個平面加四隻腳）、耳朵聽見（聽覺訊息：椅子）、手摸得著（觸感：皮膚觸踫椅子）、口嘗到味道（可能不被准許咬，或可能咬不下、咬過覺得沒味道等經驗），然後再有視覺訊息（使用方法：人坐上去），腦袋漸漸把「椅子」的概念留住，並在看見類似東西時，自動歸納為「椅子」。

如果沒有能力把到達腦袋的訊息這樣連繫並分類，人類的學習將會非常遲緩，因為每一張椅子都要經過研究、分析，才能「知道」那是椅子。

我們成長途中，見過各種各樣的椅子，或試過用不同「東西」替代椅子的功能，腦袋有關椅子的資訊就會不斷豐富和更新。但一開始，我們必須有最簡單的分類來學習知識。

大腦學習機制：簡化與自圓其說

小時候我們被教導甚麼行為是「對」或「不對」的，例如幾歲的孩子喜歡掉東西，體會一放手東西會自動向下掉、東西摔到地上的物質變化和聲音，那是孩子自主地從經驗中學習的過程。而他丟開碗裡的漢堡肉時，家長可能會教他：「不！不能把食物掉在地上！」，加上面部表情、聲調，就會讓言語能力仍在急速發展的孩子明白：這是「不容許」的，或是「不對」的。

同樣地，「對」和「不對」的概念，也會像「椅子」的概念一樣不斷被我們的經驗所更新。

「歸類－理解－更新」這個學習經驗，人腦起初為節省資源，往往會簡化它，以自我形象而言，便是對自己產生了固有的印象。舉個例子，N覺得「我是一個不小心的人」，可能是N父母從小不斷提醒他的失誤，並強調這些失誤證明「你真是個不小心的人」，這個自我形象會自然形成，年年月月過去，N就因為有了這個自我形象而注意和記著「我的各種『不小心』事件」，令這個自我形象得以鞏固。

下一次犯錯時，N可能會大罵自己：「怎麼就是這麼不小心？甚麼時候我才學得會？」這種自責會打擊他的學習信心和耐性（自我懷疑），或令他逃避嘗試（故步自封），以免自責，「我那麼不小心，還是不該從事XX工作……」。

甚至，因為這個他不喜歡的自我形象發展出應對的行為（Coping Mechanism），以舒緩內心的不適感，例如爭取認同，不斷問人「我是不是真的很無用？」，落得令人厭煩。

N是一點「小心」做事的經驗都不曾有過嗎？當然不是。可是，他總比較記得自己做過的「不小心」的事。

若然心中有不適、感覺有違和（Dissonance），我們腦袋還有「自圓其說」的能力。心理學所謂的「自我實現預言」（Self-Fulfilling Prophecies）其實是差不多的事，意指內心的看法決定我們對於外在事物的態度，於是影響了行為，不自覺的製造出與內心看法一致的結果。

回到那場「椅子」的學習過程：某天我們看一齣電影，描述奴隸制度的時代，主人要求奴隸背部朝天來當他的椅子，我們成年人未必會把這個訊息收入「椅子」的概念當中，因為資訊有「矛盾」：一方面，我們成長過程中所建立的同理心，讓我們知道當「人肉椅子」的人會很辛苦；另一方面，我們可能學會一些道德的判斷，例如問是否需要這樣做，會不會侮辱了另一個人、是否公平等。

覺察自動傾向　擴展心理彈性

矛盾的訊息令腦袋吃力，因為那引發很多的問題，製造了認知失調(Cognitive Dissonance)，並帶來焦慮感，甚至引發「自圓其說」，譬如「奴隸時代也是物資匱乏的時代，奴隸用人權換溫飽，也是沒辦法的事」。

仔細說這些大腦學習機制，是要讓大家明白，**我們把世事簡化、自圓其說令自己感覺良好的傾向，是那麼自然而有用，代價是，我們的心理彈性變小，把事情簡化處理，慢慢地看人與事(包括看待自己)不是100便是0，情緒隨之大幅上落。**我們也不必視之為缺點，相反的，我們想覺察這種自動傾向，以擴展我們的心理彈性，那會加強我們照顧自己的能力。

延伸下去，我們可以學習理解：

「一個人可以有好的行為，同時可以有不好的動機。」那麼我就會開始學習理解人性，理解身邊的人在不同時刻的行為，將之看得更清楚。

「我可以容許自己，暫時不知道一些事情，同時不放棄去理解它，或尋求真相。」那麼我就可以包容對事情的未知，容許自己有焦慮感，並培養耐心去學習、追求、成長。

容許矛盾　便是成長

當他人批評我們時，我們內心升起「我真不濟！」、「真沒用！」、「我不是一個好的XX」之類的看法，反而忘記了，其實一次失敗不等於「我是一個失敗的人」。相反，有些人被讚賞時，會感覺「飛了上天」，突然覺得自己各方面都「超級棒」，產生虛假的自我形象——「無敵」的自己遇上挫折時，就會特別覺得羞恥、難以接受，可能要以撒謊、否定(Denial)等模式去應付挫折。這也是心理彈性不足的後果。

要成長過來，學習照顧自己，其中很重要的一步，就是開始讓心裡有充足的空間，去擁抱各種矛盾的經驗，我們累積的智慧才能派上用場，為我們作最好的選擇。

包容矛盾的存在而不急於把事情「定義」，這樣，我們的心理彈性會更強，並抵擋很多自我懷疑和自責的內在聲音，增加讓自己學習的耐心，例如相信：

「我可以不斷學習和進步，同時，我是夠好的。」

「我可能有時犯錯，但我同時很多時都很細心。」

「我可能大部分時間都頗為樂於助人，同時，我可以拒絕他人的要求。」

照顧自己、內心漸漸強大，在每一個當下都有可能。我們必須培養更多的覺察，先好好看見自己，好好接著自己當下的狀態。每一個當下，我們都有一定的選擇空間，去做最平衡的決定，例如此刻，覺察一下你閱讀時的坐姿？

6.6
以脆弱感連結他人

就像魚不一定知道自己被水圍繞，
我們也不一定知道，
自己從未感受過的東西——親密。

分享脆弱與無助，
是提升親密關係的根本法則。

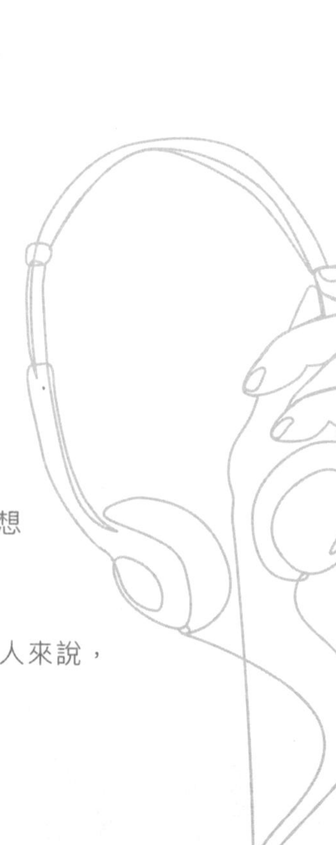

缺少「脆弱」的「親密關係」，可能不如我們想像般安全可靠。

擁抱自己的脆弱感(Vulnerability)，對很多人來說，

是一件要用心學習的事。社會讚賞的質素叫作「強者」：無畏無懼、「狼性」；或欣賞「智者」：佛系、無欲無求、平靜不爭；而脆弱感被等同於「弱者」，很大程度貶低了脆弱的價值。

脆弱感——與人連結的基礎

若我們與自己的脆弱感關係不良，自己根本就不會承認脆弱感的存在，或乾脆忘掉它，那就無法增加與人的連繫感，也自然無法感受親密。

為甚麼會這樣？讓我們來談談「生氣」這個感受。

人人都感受過憤怒(Anger)，但憤怒往往是「次要的情緒」(Secondary Emotion)。憤怒的底下，通常有難過(Sad)、悲傷(grief)、害怕(Fear)、受傷害(Hurt)、感覺不安全(Unsafe)、覺得不公平(Unjust)……這些才是「主要的情緒」(Primary Emotion)，也就是我們感到最脆弱的情緒。

以憤怒蓋過一切

當我們流露「主要的情緒」時，如果得不到接納或舒緩(害怕：「驚甚麼？有甚麼好驚的？」)，甚至換來責備與攻擊(難過：「那麼小事就哭，真沒用！」)，或承受更深刻的傷害(不安全：「就是要讓你好看，怎樣？」)，或是被完全忽視(不公平：重男輕女的家庭，漠視女兒的存在)。一拳拳打下來，我們自然不再表露主要的情緒，反過來吐出生氣、煩躁、沮喪等不同程度的憤怒情緒。

真實的感受	兒時流露真實感受後，獲得的反應	久而久之，我們與真實感受的關係	相關內心獨白或行為
害怕、恐懼	「有甚麼好驚？」	抗拒	「是啊！幹麼我要害怕？」
難過	「那麼小事就哭，真無用！」	討厭、蔑視	「我真沒用！那麼小事都……」
不安全	「哼！就是要給你好看！」	害怕、想保持距離	專注去做其他事情
不公平	…… (漠視，不理會)	否定	「我才不在乎！」若無其事的表現

當「主要的情緒」被打壓，「次要的情緒」保護我們免受進一步的傷害。

久而久之，我們與自身的脆弱感可能會變更：一、抗拒它(「是啊！幹麼我要害怕？」)；二、討厭和蔑視(「我真沒用！那麼小事都……」)；三、想保持距離(太不安了，最好不要接觸這感受，去做其他事吧！）；四、否定（「我才不在乎！」）。**即使後來建立可靠的親密關係，也有了慣性，不會讓自己接觸這些脆弱感，更怯於流露。我們便和人保持了距離。**

這並沒有好與不好，我們只是要知道代價是甚麼——我們和人的親密感和連繫會減少。因為自己不流露脆弱感，對方也無從舒緩我們。我們無意間剝奪了對方去照顧我們、親近和愛我們的機會。

學習冒險 敞開自己

我們也會少了些心理資源——**與人親密，讓我們在面對挫折時反彈，不至於低沉太久**。很多人都認識「抱抱賀爾蒙」，與人擁抱令人體產生Oxytocin，這種賀爾蒙能降低皮質醇分泌，緩衝了壓力的生理反應。事實上，治療師經常做的就是共同調節（Co-Regulation）個案的情緒；在治療室的經驗，會慢慢內化成個案自己的資源，他們也開始在人生中，尋找可以和自己共同調節的對象。

話雖如此，對於成長於暴力（肢體或語言）家庭，走過很多逆境，經常身處不安全環境的人，談擁抱自己的脆弱感是一件奢侈的、甚至是危險的事，這跟皇帝和貧苦的老百姓說：「何不食肉糜」差不多。

我們必須先找到安全的人際關係，才能去學習冒險敞開自己，容讓自己脆弱呈現在另一個人面前，才有機會接受善意、幫助和安慰。所以，我們先要離開不健康的親密關係，才能談到擁抱脆弱。

安全感十分弔詭，我們要感覺安全，才能敞開自己，但一點都不敞開自己，卻難以與人建立深刻的連結。所以第一步是找到合適的對象來冒險。

而治療師，往往就是個案第一個冒險的人。

沒有脆弱感，我們要如何連繫他人所受的苦？我們何來同理心？我們的善意、惻隱都從這裡出發，這也是我們生而為人最可愛的地方。

我們要否定自己的這一部分嗎？

接納脆弱感　在害怕中前行

仁慈的人必然是脆弱的。愛一個人，同樣會讓我們感覺脆弱，這本身是一體的兩面。所以，學習去愛自己的其中一課，是接納自己的脆弱感，看見它為我們的人生帶來甚麼，可能是「樂於助人」的特質、可能是「熱愛小動物」的性格、可能是「鋤強扶弱」的氣概、可能是「改變社會」的動力。沒法和自己的脆弱感連結的人，也沒有同理心。（見前文章節5.2〈我有特權〉）

人是群體的動物，「我們需要彼此」是一個不爭的事實。有彼，先有此——承認和接納自己的脆弱，需要不少勇氣。像魚從河流游到了大海，方可覺知大海的廣闊與深沉，是河流所欠缺的。

游吧，繼續游吧！

真正的勇氣，是我知道我害怕，但仍然去試。

共勉之。

6.7
弄清「沒拒絕」，那不是同意

「沒有表達不同意」和「同意」，
是有分別的，但很多人都不明白。
我在很多性侵犯受害者身上看見，
這份「不明白」有多普遍
——我們要問，為甚麼？

誰人教我「同意權」？

也許成長的過程裡，個人選擇的權利沒有被充分尊重，家裡和學校也沒有教授甚麼是「同意」(Consent)。

也許在講求尊重長輩或階級的文化之中，如果成年人沒有尊重孩子的同意權，孩子做了「成人」後，也不會理解「尊重」。還有在性別定型和塑造的文化中，女性多被要求順從和溫和，男性直接提出要求和表達自我則被接納，上一輩尤甚。這間接壓抑了女性對於表達自己需求的能力。而這也不止出現在女性身上，有些擁有討好傾向的男性，社會標籤鼓勵他「強勢」，他難以拒絕之下，變成被迫「同意」。

電視電影，有時甚至喜歡「浪漫化」一些沒獲得同意的親密行為……

A拍拖一年，同學都羨慕她有個高大帥氣的師兄做男朋友。一天，男生趁家裡無人，突然把她摁在床上親熱，她嚇了一跳還未回過神來，男友迫不及待已脫掉她的內褲，她想把男友推開，男友把陽具插進去她的私處。她記得她大叫痛楚，而且大哭，男友沒有停下來。完事後，她還在驚恐和痛楚之中，男友流了眼淚，向她道歉：「對不起，我太愛你了，一時忍不住。」

那年，她十七歲，沒有生氣，還安慰了他。自此之後，只要他想要，她就會給。

B自六歲起便被侵犯，起初不知道發生甚麼事，對象是比她大十年的哥哥，她的偶像。創傷記憶一般都是很瑣碎的，她記得哥哥把陽具放進她嘴裡，她記得幾乎窒息的感覺，她記得心裡疑惑為甚麼哥哥要在她嘴裡撒尿。哥哥說這是他們兩人的秘密，在侵犯她後抱她親她，還會給她錢買東西……很疼惜B。

扭曲記憶　懷疑自己

後來當B想起這些重複的片段，像一個個碎夢，持續了幾年：她既覺得「不確定」是否被侵犯過，也懷疑自己是自願的，因為「從來沒有人像哥哥一樣那麼親過我」，而且「我有花掉他的錢」。

C被領養時四歲，他很感恩有人願意給他一個家，不用再「每幾個月便要搵一次家」。C依稀記得養父不久便開始猥褻他，具體過程是片空白，只記得養父每趁養母不在時，便叫他進房間去，教他要孝順自己、要報答他的養育之恩，要他提供服務。後來他幾乎都可以預期甚麼時候他要「提供服務」。「那只是很小的付出，而我救了你，讓你能抬頭做人。」C記得養父這樣說。

「養父不但財政上養活我，在學業上也教導我很多」，C說對養父心存感激，回想起被猥褻的那些日子，他覺得都是自己的錯，「因為我沒有拒絕他」。

D的初戀有很高佔有欲，她記得一起的第二個月，他要求獲得她電話、電郵、社交媒體的密碼，好讓他去監控她，D覺得男友只是緊張自己。一起已經四年了，有一次，男友想要性，D卻不想；她沒有說「不要」但把他推開了，她覺

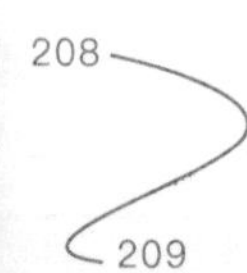

得自己已表達得很充分，可是男友沒理會，就霸王硬上弓。D記得自己是邊哭邊讓他進入自己的身體，耳邊除了哭聲，還有「別哭了，好好享受吧！」

D並沒有覺得很享受，可是沒有和男友對質過。

「我沒有說不，就是同意了」

E已人到中年，育有兩女，不過，他煩惱於戀上愛操控他的女人。說起妻子，「我就是離不開她」。他說結婚前每次想分手，妻子會列出各種因由去說服他，為何不應該放棄這段珍貴的關係，還會大聲斥喝他，甚至要求他下跪認錯，他總是屈服了，就像他小時候被父母打罵一樣，「總是我的錯」。

他說，結婚是她的決定，他只是服從，「我沒有說不」。說起婚外情，他說對象也是一個令他感到必須屈服的女性。

「沒有不同意」的例子很多時和性有關，因為在我們的文化裡，性甚少被直接談論，譬如電影不會演示男女在性事前以語言確認雙方同意。放在現實，當事人有時很難覺察到，其實自己被性侵了，特別是侵犯自己的，是沒尊重你個人意願的親密男女朋友時，自己跟自己說「我並沒有拒絕」讓心裡比較好過。

真相更痛苦 不願面對

或事發時年紀太小、太驚慌，一時未能理解正在發生的事，因突然和驚恐而呈現凍結狀態(Freeze，詳見上一節)，令他們沒有說「不」的機會。過後，他們可能怪責自己沒及時擺脫，沒有明確地說「不」，那就代表自己是同意的。

也可能成長環境讓一個人自尊感很低，自小經常被罵、覺得家人都不喜歡自己，這類人更容易被親密伴侶操控，在他沒表達同意的情況下，被「當成同意」。或是家裡大人經常責怪小孩，期待小孩來討好或照顧自己的感受；這些孩子長大後，也可能有和他人界限不清的情況，就會想「是我沒有及時不同意，都是我的錯」。我們必須明白的是「我可以練習及時說不」，同時，「我並沒有同意」。

真正的同意，是Say Yes。來不及說不、沒辦法說不，並不等於一個人真的同意。這是我們千萬要清楚的概念。不論ABCD最終有沒有走上法庭，去控告這些傷害他們的人，也必須清楚這件事。

因為那跟我們如何尊重自己的選擇和意願相關。

因為那跟我們和人建立健康的界線有關。

因為那跟走出創傷的後遺有關。

因為那跟我們如何去愛自己有關。

只有看見「我並沒有同意」即是沒有同意(No Consent)，也就是說，我並沒答應，而這個意願是需要被尊重的——這是第一步。**第二步，去練習相信「我是值得尊重的、我是值得被看見的、我不是附屬於某人的一件物件，而是一個獨立的個體」。**

沒有人活該受苦

第三步，學習我有說不的權利。

「沒有人活該受苦，包括我」——確認自己受到了侵犯或控制，但又要明白不是自己的錯，這是很痛苦的一步，但同時是非常重要的一步。

我見過很多的創傷個案，他們一直以來，自己都不知道怎樣愛護自己，因為根本不太注意自己的感受。在治療漸入佳境後，他們會陸續發現一些很日常、可以對自己更好的各種小事情：

「我幹麼不早早買一隻味道較溫和、用完不會覺得頭痛的清潔劑呢？」

「每次幫我的寵物洗澡時，我都沒想到可以好好坐著來洗，原來不必腰痠背痛啊。」

第三步 我要好好照顧自己

在生命中做出不同於「繞圈圈」的新嘗試、從一些具體可以實踐的東西作開始，自己走出一條新路(可能是直路！)。

6.8 回到自己的身體

如果沒法喜歡自己的身體，
至少……和身體和平共處。
這是我們尋找內心平靜的基本。

身心相連，我們在情感上難以承受的，有時以身體的痛苦承載它：人類用很多傷害身體的方法來應付心理壓力，過度節食/暴食、過度運動、重複檢查清潔、自殘。對痛感滯後，排斥自己的身體。

我面見過的一些個案，他們如此排斥自己的身體——

有些慣性操勞身體，如有過度運動傾向的厭食症患者，對疲憊感很熟悉，便在各方面勞役自己的身體，例如睡得極少，把自己的日程排得很密等。

有些兒時遭受過肢體虐待，他們的身體自小經驗高度的刺激，很能忍痛，對身體的感覺特別麻木，會有「我頭痛了整整一周，才知道自己頭痛」的情形。**若對身體感覺嚴重滯後，照顧自己的事情自然延誤了。**

有些做高強度運動訓練的人，一方面，他們對體格比較有信心，和身體感受也有好的連結；另一方面，他們也很能承受痛楚，一不小心，就會過度運用自己的身體。我有個案是健身教練，參與過極限運動，兒時遭受創傷。她坦言，健身對她來說不但增加安全感（我能保護自己），同時也是她應付心理壓力的方式。因此，她有多次不小心運動受傷的紀錄。和專業運動員不同，她不是明知有過勞風險而選擇練習，而是她根本不知道自己過度操練，直至受傷。

也有些身體有缺憾的個案，不論是天生的或後天的病症，又或意外所致，他們要一步步學習接納自己「新」的身體，與之和好。在這方面，我在兒童及成人癌症康復者身上學習良多。

最極端的例子，就是跟自己的身體有非常不和諧的關係，例如有性別不安(Gender Dysphoria)，即Transgender、Queer，或患有身體變形障礙(Body Dysmorphic Disorder)的個案。前者不認

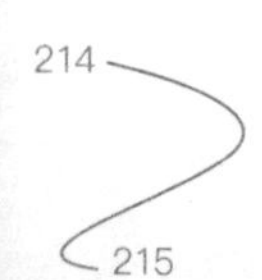

同自己天生的性別，後者病態地覺得自己醜陋，他們可能會尋求做手術以改變這副身體，才能與之和平共處。

有些人有**強烈的「經驗逃避」**(Experiential Avoidance)傾向。他們會慣性逃避任何帶來不適感的經驗，談自己時總不著邊際，不是在說「原則」，便是概括他人故事一樣；他們會中途轉換話題，因為感到太不舒適；他們也無法明白自己感情的輕重，總形容為在兩個極端搖擺：「這一刻我還好好，下一刻我就像被車撞倒地上」，沒有中間。

由於感受太激烈，他們只好不斷逃避它，靠不斷做事(看影片、思考、工作)，靠酒精、藥物、賭博、性……去麻木自己的感受，這樣他們才能好過一點。這些應付壓力的模式往往帶來惡果，或延續了某些病症，如焦慮症。

應付壓力走到極端：焦慮、解離

有強烈的經驗逃避傾向的**焦慮症**病人，一般會有過度沉思(Rumination)的行為，以不斷說話或思考來避免感受焦慮感，因為焦慮感有很多的身體感覺元素在內，如氣喘、心跳加快、心悸、手震、尿頻、痛症、胸口緊張、反胃，有些人甚至有奇怪的身體感覺(如螞蟻在皮膚上爬行)。

我們的腦袋應付極端壓力的應對模式，可以直接把這個經驗切割出去——**解離**(Dissociation)。一些遭受創傷的解離性障礙患者(Dissociative Disorder)很難在一個經驗中臨在，以致沒有任何的身體感覺。因為在他們的創傷經驗中，離開自己的身體——解離，才是安全的。他們回憶起一些片段時，像局外人一樣看自己，因為那是非常痛苦的經驗。

上面眾多例子都只是在說明一件事：回到自己的身體，和自己的身體感覺同在，對我們調節自己的情緒和心理健康都有莫大的關係。

跟身體建立友善的關係，是需要積極練習的。甚麼時候休息、甚麼時候放輕鬆不用強迫身體去做甚麼、肢體可以做的動作幅度、甚至甚麼時候去吃等等，都跟我們的大腦能否接收到準確的內感受(Interoception)相關。而腦袋同樣被經驗所塑造，因此，接受和演繹這些信息並不是客觀的，每個人都因其經驗而有所不同。

內感受　察覺身體微妙變化的能力

如果我們的腦袋已被經驗訓練得不夠敏感，那麼我們需要放時間、心思去探索，當改變自己的行為，製造了新的經驗，我們的腦袋也會因而改變。

在這方面，我看見靜觀有很大的作用。靜觀培養一份純粹、不加批判的覺察，讓我們可以更接納身體的殘障、接納我們對身體不滿的想法，提升對身體感覺的覺察，以獲得更多更及時的信息，去好好照顧自己的身體。

因此我會適時與個案練習靜觀，也會建議他們學習提升身體感覺敏感度的活動，如瑜伽；或鼓勵曾被侵犯或虐待的人去學習武術，以加強身體的動能和強度，也改變他們對保護自己的信心。

信心，由自己給予自己，時間也是。

學習回到自己的身體，很多時也和學習獨處有關。對很多人來說，獨處——自己和自己相處——是難以執行的。

獨處 學習與身體同在

如果你投入靜觀、瑜伽、長跑、游泳，你可能同時在學習獨處。也許你和一群人一起練習，但如果練習的長度充足，那很大程度上也是你和自己身體同在的練習。我們練習這些，慢慢就會和自己身體的關係有所改變。

有些人因為難以忍耐「沉悶」和「空虛」感，會不斷爭取他人的關注和接觸，有可能因而帶來莫大的困擾，如衝動性行為等。

我們必須能夠忍耐一定程度的無聊，才有空間去探索心底的需要、享受真正熱愛喜悅的事情，這份滿足感又會支持了我們，帶給我們生氣和意義，為我們緩衝日常的壓力。

◎

英文諺語*Feel comfortable in your skin*，是很直白有力的描述。我們即使沒有很愛自己的身體，至少要能感覺舒適。

身心相連，我們可以選擇建立一些人際關係，可是走到天涯海角，我們也離不開自己的身體。

6.9
尋找舒適的關係

哪些人際關係，
在哪些時候，
能為我提供哪些支援？

人類是群體動物，「我們需要彼此」，連神經科學家也提供證據指出，在「容納之窗」的範圍裡(within our window of tolerance，即壓力在身心可承受的程度)，**社交參與**(social engagement)能幫助我們的神經系統紓解壓力，家人、好朋友就是在不同程度上互相扶持和鼓勵。家人沒法選擇，我們只能選擇相處的方式和大家的距離，可是，朋友和情人是可以慎選的。

愛我的人 未必這刻最適合支援我

當感覺脆弱的時候，我需要找愛我的人來陪伴。可是愛我的人，不一定是當刻最適合見我的。有些人帶來愛，同時帶來壓力，那他愛的方式未必切合我當下的需要。例如一個心裡有答案，苦澀仍未淡去的人，他需要沉默的陪伴、或被聆聽和明白，可是家人表達關心的方式是「不斷給意見」；或者傷心的人只想在擁抱裡好好哭一場，而不是說話，但情人會做的卻是「不斷說安慰的話」……這些反而令當事人更為煩惱。

我們可以學習珍惜這些愛我們的人，並同時明白，我們可以選擇甚麼時候向哪些人打開自己脆弱的部分，是最安全的。

重點是，我們必須知道自己脆弱時需要的是甚麼，我們才有可能找到合適的人。而學習接納自己的情緒、了解自己的過去如何促成今天的我、充分地和身體連繫，都是我們了解自己「需要」的前設。

有些人渴求的安慰或陪伴，不是找人傾訴，很多男士陪兄弟，是一起看球賽、一起到酒吧喝酒，他們不一定談得很深入，但也可以是一種「在心中」的陪伴。

要夠了解自己的需要

有些人獨自面對脆弱感，選擇自己消化了才和人溝通。我的日本個案就令我在這方面受教了，明白他們怎樣在內在好好消化。有些說話，他們永遠無法覺得可以宣之於口，他們與人的親密感彰顯在「心照」、「無聲勝有聲」之中，這方面和在美國長大的個案有著天壤之別。

對於有被遺棄焦慮、經常感覺孤單的人來說，他們需要找到覺得非常安全、可靠的人，才敢冒著被遺棄的風險去敞開心扉。然而，「和人建立連繫」又關乎滿足他的核心需要，使得這件事很難開始，卻不應避開。

所以，我會在面談時注意他們提及的人，哪些人可以多聯繫，並適時提醒，才有機會邀請他們去練習接觸自己的脆弱感，或有限度地分享無助的時刻，以建立深刻的連繫。

對於有很高度不安全感、經常覺得難以信任別人的人，他們必須內在的安穩充足了，才能冒險「不拒人於千里之外」，以舒緩人際關係中的不安全感。改變可能萌生在治療室中被看見和接納之後，也可能在和身體練習同在之後。

內在安穩的根基

對於兒時遭受重大創傷的個案，我會非常小心地和他一起探索他的人際關係，當發現能在情感上支援他、以善意對待他、耐心聆聽他，或在有需要時會出手的人，我會牢牢記住，在合適的時候會問他：「跟XX還有聯繫嗎？」因為對於這些個案來說，他們需要找到很安全的人際關係，作為他們維持內在安穩的根基。

不是每個人都那麼幸運，能有愛護他們的家人作後盾。因為資源有限，學習好好花自己的時間和心機，適時跟安全、可靠的人一起，並跟經常貶抑你、妒忌你或讓你感覺不安全的人，保持健康的距離。**我們可以好好探索這些，找出自己想多花時間經營的關係：**

是誰圍繞在自己的身邊？哪些人讓自己感覺安穩？哪些人又讓自己感覺志同道合？哪些人對自己真誠又善意？哪些人會給予支持的力量？哪些人會站在我的角度？哪些人最會聆聽？哪些人擅長提供有用的建議？哪些人能對自己的成長有幫助？哪些人會給予最實際的支援？

我們要學會為自己選擇，甚麼時候和這些人連結和分享，或尋求協助。

6.10 熱情？囚牢？

有些人的熱情，會成為他們的囚牢。

當我們決心做某件事，為之付上熱情，
是快樂的；
不過，如果我們覺得此生沒有其他路可走，
那也相當危險。

認識我比較久的人會知道，我是一個不會停下來的人——不斷更新自己、不斷嘗試突破、不斷探索新事物；書架上長期站著已買未讀的書，小說、哲學、心理治療到科學，不止是讀書，我覺得……活三輩子，都有我學不完的東西。

「你的熱情是不是你的囚牢？」，我學會向自己發問無數次。

沒法熄滅的內在引擎

經過了這麼多年，我才明白，那個引擎，是內在的、沒法熄滅的。

好奇心是我的強項、也曾是我無意識地應付壓力的機制。如今，我既選擇這樣活著，便不時為此受苦。

◎

不同的人，經常困在自己的熱情之中：馬拉松跑友，如果不跑就會內疚；全職媽媽，孩子離開了便會無聊。我，熱愛當臨床心理學家，有個案說我「其實你連周末都工作到那麼晚、辛苦嗎？不過我感覺到你很享受。」

人生的所有資源都是有限的，包括耐心、精力、時間，我們選擇了投入那「熱愛之事」，意味著我們沒法同時投入其他東西……我曾妄圖擁有這個「同時」，弄至失衡過勞，收工時頭痛和眼花，和止痛藥為伍好一段時間，從不知不覺醒過來，才懂得減速。

我是在「以有涯隨無涯」。

幸好遇上很多良師，也遇上馬拉松和靜

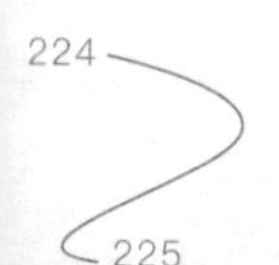

觀，讓我的頭腦轉換過不同頻道，看過不同風景，也和身體的感覺、疼痛、沉悶、無聊等感覺有點交往。否則相信我會更容易受困。

讓頭腦轉換不同頻道

我還在期待未過的人生，例如有時遺忘、有時激昂的愛好：畫油畫、跳舞、彈琴、種花，那些想行未行的山、站在書架上等待我看的小說；當然還有，那些重重複複、平凡而美好的日常家庭生活。

「你的熱情是不是你的囚牢？」

我擁抱這個問題，包括對自己的選擇存疑和不安的感受。畢竟我沒有大能做一個全知的智者，但是人生就只活一次，就勇敢一點去試，承認限制和未知，去做最好的決定。

覺知比較充足之後，這個內在引擎不再是為了避免不足，而是去追求我想成為甚麼、和我想提供甚麼。

因為我是夠好的，雖然我仍然想體驗更多。就像每一本站在書架等我的書，都是我想成為的一部分的自己。如果有生之年能看到它，很好；但看不到，也是很好的。

「你的熱情是不是你的囚牢？」

我時常好奇他人的人生。看見人家慢條斯理，有時會心生羨慕，畢竟我的忙碌也是活該，有丁點時間就會講講座，或者接受邀稿。(所以有了你手上這本書)

好奇一下別人的圈圈

看見朋友的快樂像是沒有陰影，我也會羨慕，畢竟我不斷聆聽他人苦況和兒時創傷，跟丈夫聊起來，他會聽得大皺眉頭，然後禮貌地請我閉嘴。我對沉重感受的耐力已被訓練得很高；思考死亡，甚至是我活在當下的一種方式，提醒自己「明天要是死去，我也是無悔的」。可是，我還是禁不住好奇，想感受一下花大部分時間吃喝玩樂的日子是怎樣的？

「你的熱情是不是你的囚牢？」

我向自己發問，以確定我是有意識地選擇繞這個名為「熱情」或「好奇」的圈圈。

最覺知的選擇

一如我希望讓我的個案看見自己的自由，支持他們去做**最覺知的選擇**。世上沒有完美的生活，沒有必須過的人生，只有心甘情願的選擇。

我們永遠都比上不足、比下有餘，永遠都有感恩的理由，因為世上有太多殘酷的事實。我們要為自己找安心立命的地方，並擁抱當下真正屬於我們的自由。

因為我們所有人，都活在囚牢之中。

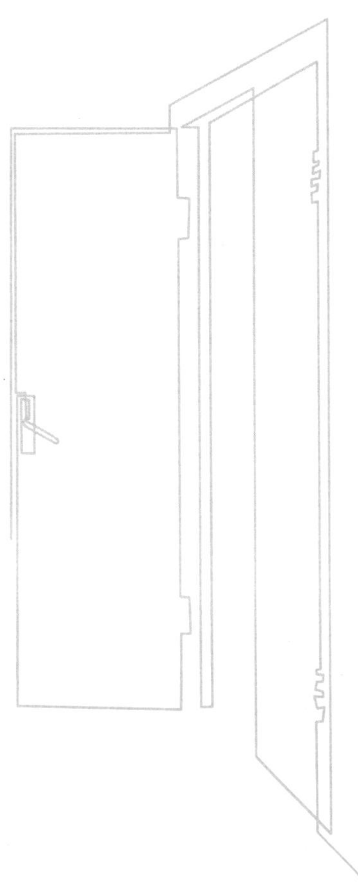

結語

繞出來以後，尋覓心中自由

我們感覺無力，無力帶來焦慮和痛苦……在於著眼於不能控制的事情。雖然擔憂可以管理，可是，要認清可以控制的，和不可以控制的，其實不一定很容易。

這個決定，關乎我們的價值觀和人生觀。

我們每一個人都需要面對這個決定，哪些是我渴求改變的，哪些是我有能力改變的，哪些是值得我追求的……即使需要迎難而上、付出代價，也在所不惜。

若選擇了爭取，代價就是背後的壓力；那份壓力可能會持久，面對身邊人抱有不同的價值觀或人生優次時，我們能獲得的支持會變少，也會很孤單。

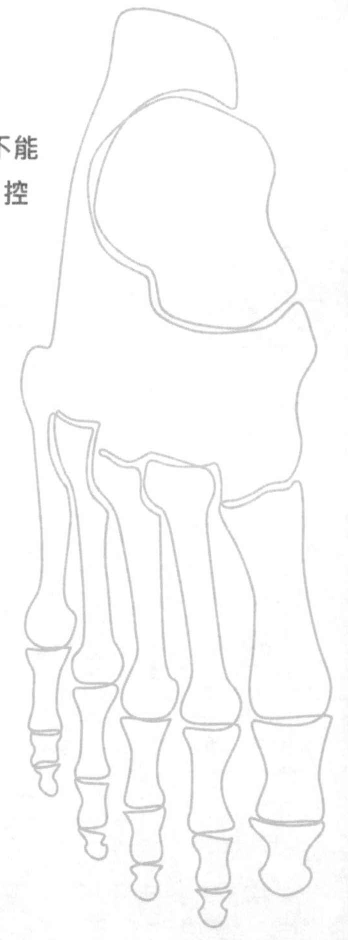

無力感　思考過「我」的代價

我們，或者有些人，有著「知其不可為而為之」的精神，這種精神的可敬之處，在於它帶來了社會的革新和進步。一般人視為不可改變的，他們會銳意爭取；對這些人來說，那就是「可以控制的」。擁抱這種精神的背後，必然是很多無力感。

哪些是我想做的？我又如何去做？

如果你是個重視物質的人，你可能覺得想改變世界是無謂的，因為那不是你生命的重心；

如果你是個富冒險精神的人，那你的人生必定有一些方面是你願意突破的、具熱情的，即使他人認為不可能；

如果你是個富人文關懷精神的人，你情感豐富同時會感到脆弱，因為你常為他人的苦而苦，你也許會叩問，「為甚麼事情必須如此？」

如果你是個愛思考的人，你也會比較願意擁抱所謂「不可能」的可能性，譬如質疑它，去探問、去追求。

哪些是我值得做的？

哲學家提問過無數次的問題，時移世易，答案也從未清晰浮現過。好像神話薛西佛斯不斷把石頭推上山，它又會掉下來，周而復始——永無止境又徒勞無功的任務；如果你讀卡繆，他卻認為薛西佛斯是在反抗絕望，那是充實而幸福的。

沒有經歷過探索的人生，是難以回答「我可以做甚麼」這個話題的，遑論承擔那個代價：無力感。

◎

2002年3月2日，中國內地一個叫《半邊天》的節目中，出現一個訪問叫「我是劉小樣」。

劉小樣激起的迴響，二十多年過去了，還在。(你上YouTube看看，還有很多影片)這位平凡的農村女生表達的，是她對追求知識的熱情——一縷困在保守村落的知性靈魂。她的家教就是「女生讀書讀到初二就夠了，然後聽媒妁之言，結婚生子做飯帶孩子」這樣。主持人說：「不會有一個人問你，你想要成為怎樣的人，對吧？」

她三十歲時，寫了一封信到電視台，電視台的編導決定要去找她，她在忐忑不安中接受了訪問。

有靈魂、有熱情的人能夠感動人。她的訪問讓不少人選擇了冒險，去做不同的事。有一個在外國拍紀錄片的雲南女生跟那編導說，這個訪問改變了她的人生：

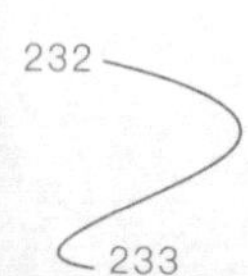

劉小樣很明白自己的悲哀，她沒法活出自己想要的模樣；知性的她就是知道，城市人穿衣比農村人穿得好看，不單是外表，也是內心的不同。她沒法走出去，沒法變得太個性化、太突出（那會遭人議論），但選衣服時會挑大紅，讓人生有點色彩。

「我寧願痛苦，都不要麻木」

她沒法到城市學習和見識世界，她也沒讓自己變成有飯吃就滿足的人。背負無盡的無力感，她當起渴求知識的自己。在農村沒書可讀，她就把電視節目的字幕當書來讀；她覺得她需要知識，去讓自己覺得沒那麼空虛。

她說：「我寧願痛苦，都不要麻木。」

訪問的迴響很大，很多人說要找她、資助她走出城市，這樣那樣的，她也沒有接受，就乖乖留守在農村的家裡。她明白自己身處的限制，並選擇安分守己。

她說：「我痛苦但不悲傷。」她認知到她的痛苦，是因為一代又一代的女性在不斷進步中；她看見她的不滿足，也是她的時代的一部分。

面對大環境的無力感，我們仍然要看見自己的自由。

我的個案來自世界各地，我經常感恩在他們的故事中，窺見的那一片天空：

有些中東女性地位低得我們難以想像，被虐待、被侵犯非常普遍，普遍到驚人；同時男性被要求表現得絕對強悍，能夠直接令人把情緒割裂開去。一些發展中國家如印度，對女性的貶抑，也是一般西方標準難以接受的。**這些創傷都是集體的、系統性的、而且經年累月，一代傳一代。我從他們身上學習到，任何改變只能微小地進行，並要在各種不自由之中尋找那片自由之地，去善待自己。**

需要自己去尋找意義

如果你像我一樣愛讀米蘭・昆德拉(Milan Kundera)，你對於他重複傳遞的「可笑」和「無意義」，該不會陌生。他在《生活在他方》(1973)一書說的，跟本書的倡議有所呼應：

「問題並不是這個世界不自由，而是人忘卻了自由。」

「如果我們沒辦法改變世界，那麼我至少可以改變自己的生活，活得自由自在。」

「自由並非始於父母親被拋棄或被埋葬的地方，而是始於他們不在的地方。」

同樣是生在時局不穩、過完他必須離開家鄉的流亡人生，昆德拉於2023年過身了。2023年，戰火、衝突仍然不斷，流亡的議題從不

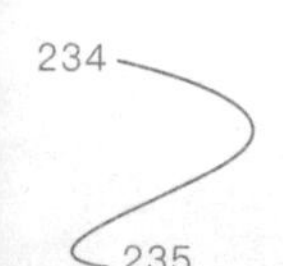

止息，面對大環境，面對著「我該做的事」，面對著無力感，我們需要自己去尋找意義。

昆德拉在1993年出版的《被背叛的遺囑》裡寫上：「大部分的人閱讀自己的生命就像閱讀小說一樣，隨隨便便，漫不經心。」

對自己漫不經心　源於不覺察

我想，大部分人是不會那麼認真思考我是誰？我是怎樣定義自己？我過得怎樣？有沒有不小心繞了一圈又一圈？

漫不經心不是因為不在乎，而是因為不覺察。

所以這本書，也是為這些人而寫的。

我希望這本書能為你帶來一些覺察，讓你有所選擇。你當然可以選擇繼續繞圈圈，那就快樂地繞好了（我就是這樣啊），但我希望你也看見其他選擇在你的面前。至於那個囚牢，即使我們不能親手改變，但我們乃是其一部分，縱然微小，卻還是影響著他人，有份帶來我們有生之年未必能看見的改變。

所以，「勿以善小而不為」，是真的；縱使結果不能預料或控制，但我們的意願、動機、選擇、努力，還是對我們很重要。

你和我

我們如何過活、如何回應、如何取捨，都是我們的自由。

「甚麼是可以控制的？」這個問題，我們必須自己去回答。

如果你的人生經常是無力的，你覺得必須活在很多委屈之中，沒法突破困局，那麼你得看清楚自己的囚牢是甚麼。我希望這本書能為你帶來一點啟發，因而能夠更適切地取捨，也更懂得照顧自己。

生命循環不息，你和我，都在其中。

參考書目

4.1

• 1Bravata DM, Watts SA, Keefer AL, Madhusudhan DK, Taylor KT, Clark DM, Nelson RS, Cokley KO, Hagg HK. *Prevalence, Predictors, and Treatment of Impostor Syndrome: a Systematic Review*. J Gen Intern Med. 2020 Apr;35(4):1252-1275. doi: 10.1007/s11606-019-05364-1. Epub 2019 Dec 17. PMID: 31848865; PMCID: PMC7174434.

• Seligman, M.E.P. (2011). *Authentic Happiness.* Nicholas Brealey Publishing.

6.2

• R. L. Leahy, (2005). *The Worry Cure: Seven Steps to Stop Worry from Stopping You.* Three Rivers Press.

• J. Kabat-Zinn, (2013). *The Catastrophe Living.* Overseas Editions.

• S. C. Hayes, (2019). *A Liberated Mind.* The essential guide to ACT. Vermilion.

• M. E. P. Seligman, (2011). *Authentic Happiness.* Nicholas Brealey Publishing.

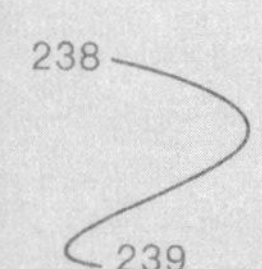

6.3

• B. V. D. Kolk, (2015). *The Body Keeps The Score. Brain, Mind, and Body in the healing of trauma.* Penguin Books.

6.4

• Ben-Shahar, Tal. Psychology 1504: Positive Psychology. Harvard Open Course, 2009.

• S. C. Hayes, (2019). *A Liberated Mind. The essential guide to ACT.* Vermilion.

6.8

• L. F. Barrett, (2017). *How Emotions Are Made. The secret life of the brain.* Pan Books.

6.9

• Porges, S. W. (2011). *The Polyvagal Theory. Neurophysiological Foundations of Emotions, Attachment, Communication, and Self-Regulation.* W. W. Norton & Company

Inspiration 30

為甚麼，我人生總在繞圈圈？

作者　吳崇欣 Beatrice
內容總監　曾玉英
責任編輯　何敏慧
書籍設計　Joyce Leung
相片提供　iStock

出版　天窗出版社有限公司 Enrich Publishing Ltd.
發行　天窗出版社有限公司 Enrich Publishing Ltd.
九龍觀塘鴻圖道78號17樓A室

電話　(852) 2793 5678
傳真　(852) 2793 5030
網址　www.enrichculture.com
電郵　info@enrichculture.com
出版日期　2023年12月初版

定價　港幣$138　新台幣$690
國際書號　978-988-8853-11-3
圖書分類　(1)心理學　(2)情緒健康